La vue en rose

Collection « Autobiographie »

Lyse Veilleux

Avec la collaboration de
Hélène Belzile

La vue en rose

LES ÉDITIONS
FRANCINE BRETON

Éditions Francine Breton inc.

Collection « Autobiographie »

Conceptions graphique
et mise en pages : Martel en-tête

La vue en rose

© 1998, 2002   Éditions Francine Breton inc.
          Lyse Veilleux

Dépôt légal : 2ᵉ trimestre 2002
Bibliothèque nationale du Québec
Bibliothèque nationale du Canada

efb

Les Éditions Francine Breton
3375, avenue Ridgewood, bur. 422
Montréal (Québec) H3V 1B5
Tél. : (514) 737-0558
info@efb.net • www.efb.net

ISBN   2-922414-03-5

J'offre ce livre à tous ceux et celles
qui ont besoin d'un nouveau regard sur la vie,
qui ont besoin de faire un clin d'œil à leur vie.

J'offre ce livre à tous ceux et celles qui de près ou de loin
m'ont apporté support, amitié, amour et réconfort.

À ma mère, ma fidèle complice.
À mon père, ce sage qui sans mot dire sait me lire.
À mes frères, Jean et Gilles,
pour leur incommensurable amour fraternel.
À Louise et Sylvie, pour leur amour de belles-sœurs,
sœurs que je n'ai pas eues.

Enfin, à toi, Emmanuelle, qui me liras un jour
et à ton petit frère ou ta petite sœur
qui naîtra au printemps 1999...

PROLOGUE

Pour voir clair

Pour voir de mes doigts, je te touche
Pour voir de ta voix, tu me touches
Pour voir
Je savoure des parcelles de bonheur
Avec une larme gravée au coin du cœur

Sur mes yeux un nuage s'est posé
Éteignant ce cadeau si précieux
Qu'aujourd'hui il me faut regarder
Le monde avec d'autres yeux

Le temps est venu, j'ai dû partir
Aller voir ailleurs, nous rendre libres
Te quitter avant de nous détruire
Emportant ces souvenirs qui vibrent

La vie a ses couleurs
Si belles vues dans le noir
Et qui apportent tant de douceur
À l'être qui ne peut voir

Ta voix qui me sourit
C'est cette caresse dont j'ai besoin
Le soir où je m'ennuie
Pour te sentir un peu moins loin

Le parfum de ta présence
Est resté sur ma peau
Et j'espère en toute confiance
Être aimée à nouveau

Si tu voyais ce que j'entends
Tu écouterais le silence
Et tu prendrais le temps
De me faire cette confidence

Je vois ce que tu veux me dire
Quand tes paroles se font silence
Il est pourtant facile à saisir
Le langage de la souffrance

Je compte les pas qui nous séparent
Pour arriver jusqu'à toi
Sur ce quai de gare
Où je ne cherche que ta voix

Je ne vois pas que tu me vois
Je suis sourde au fond des yeux
Viens, entre dans mon monde à moi
Montre-moi la vie à travers tes yeux

J'hésite un geste, un pas
Lorsque des yeux se précipitent
Pour m'offrir l'aide d'un bras
Tel un baume sur mes limites

Quand ton cœur aveugle me ferme la porte
Je me relève avec mon rêve incessant
Plus de barrières d'aucune sorte
Être tous pareils en étant différents

LYSE VEILLEUX,
février 1995

NOTE DE L'ÉDITEUR : Un poème *Pour voir clair* qui aborde le thème de la cécité trop souvent ignoré par la société.

INTRODUCTION

Q UAND LA FILLETTE que j'étais n'avait que sept ans, quand elle était remplie d'une grande joie de vivre et quand elle riait aux éclats. Quand son nez, exposé au soleil, devenait éclaboussé de taches de rousseur et quand ses longs cheveux coiffés en lulus étaient retenues par de jolis rubans de satin rose. Quand cette fillette avait toute la vie devant elle, elle ne se doutait pas...

Quand la fillette que j'étais promenait, dans son carrosse de poupée, son petit frère Gilles alors à peine âgé de quelques mois, et quand elle considérait ce petit frère adoré presque comme une poupée, elle ne se doutait pas...

Quand, quelques années plus tard, la jeune fille de dix ans que j'étais exécutait avec grâce des mouvements de ballet classique, maniait habilement le bâton de majorette et quand, en plus, elle osait quelques pas de danse à claquettes, elle ne se doutait pas...

Quand cette jeune fille que j'étais enfourchait sa bicyclette mauve et quand, telle une sportive avec ses

cheveux au vent, elle allait rejoindre, à plusieurs kilomètres de la maison, sa grande amie Sylvie. Quand elle
profitait au maximum de son bonheur d'enfant, elle ne se
doutait pas…

Quand l'adolescente que j'étais effleurait ses cils de
mascara et quand elle osait des tenues un peu plus seyan-
tes pour aller danser dans le gymnase de l'école. Quand
les garçons commençaient à lui faire les yeux doux, elle
ne se doutait pas…

Quand la jeune femme que j'étais rencontra son premier amour, quand elle décrocha son premier emploi,
quand tout lui semblait parfait dans sa vie qui la com-
blait, elle ne se doutait pas…

Non, cette jeune femme que j'étais, à l'aube de sa vie
adulte, ne se doutait pas que, derrière ses yeux, sournoise-
ment se produirait un changement qui viendrait bousculer et balayer ses rêves, ses projets, ses amours et beaucoup
d'espoir. Elle ne se doutait pas que sa destinée, jusqu'alors
si bien tracée, prendrait un virage vers un monde inconnu, un nouveau monde à découvrir et à apprendre : le
monde de la cécité. Non, elle ne se doutait pas…

Mais la femme que je suis aujourd'hui sait que de ne
pas savoir de quoi sera fait demain apporte la joie de
vivre au présent et le bonheur de sourire à la vie à chaque lever du soleil.

LYSE VEILLEUX

CHAPITRE PREMIER

La vie est pourtant si belle...

Toute rose a des épines, c'est vrai ;
mais que les roses sont belles !

FRANK L. STANTON

I L Y A QUELQUE TEMPS que Michel et moi projetons de nous rendre au terrain de mini-golf, à Saint-Hubert, pour nous offrir une partie de plaisir. C'est par une belle soirée du début de l'été 1978, que nous mettons finalement notre projet à exécution et je ne veux pas rater l'occasion d'impressionner cet homme qui deviendra, sous peu, mon mari. Par coquetterie féminine, j'omets de porter mes lunettes qui, me semble-t-il, sont tout simplement affreuses. Même si je souffre de myopie depuis l'âge de 10 ans, je ne me suis pas encore habituée au port de telles horreurs. Mes lunettes, je les garde pour les moments où je me sens à l'abri des regards indiscrets et ça fait près de douze ans que j'agis ainsi.

Donc, pas question d'arborer ces fameuses lunettes lors de mes performances au mini-golf. Le circuit se déroule bien et rien n'indique que j'ai fait une erreur en laissant mes lunettes de côté jusqu'à ce que nous parvenions au 9ᵉ et dernier trou. À cet endroit, si un participant réussit un trou d'un coup et que, par le fait même, la balle disparaît dans le trou, il gagne une partie gratuite.

Je m'élance alors en espérant frapper le coup de ma vie. Ne voyant plus la balle, je me mets à crier ma joie et ma fierté. Michel me regarde et me dit :

— Qu'est-ce qui t'arrive ?

— Je viens de gagner une partie gratuite, que je lui réponds.

— Tu n'as pas vu la balle ? Elle a rebondi sur la bande et elle est revenue vers toi.

Éberluée, je viens tout d'un coup de réaliser que je ne vois pas une balle de golf qui n'est pourtant qu'à quelques pieds de moi. Ce n'est quand même pas une aiguille... Mais je me dis que je ne porte pas mes lunettes. C'est donc normal que je ne puisse voir cette fichue balle.

Un peu secoués, Michel et moi quittons le terrain de mini-golf en ayant en tête certains questionnements. Chemin faisant, Michel décide d'arrêter la voiture à une intersection et me demande de lire le nom de la rue inscrit sur le poteau. Mon cœur se met à battre et les larmes me montent aux yeux. Je ne sais pas si je dois lui dire la vérité.

— Michel, je ne suis pas capable de lire le nom de la rue parce que je ne porte pas mes lunettes.

Il me regarde, estomaqué. L'éventualité d'un problème visuel plus sérieux lui noue la gorge.

Certains doutes commencent aussi à me hanter mais, une fois de plus, je me dis que je ne porte pas mes lunettes et que, quand je les utilise, je réussis à voir tout ce que je veux.

C'est du moins l'explication que je préfère considérer pour tenter de me rassurer...

Je fais la connaissance de Michel alors que je fréquente l'école secondaire, à Saint-Hubert. Parmi les amis de mon premier copain, Jean Laperrière, il y a un dénommé Michel Veilleux. D'une taille moyenne, ce jeune homme blond aux yeux bleus semble intéressé à me côtoyer davantage, mais mon cœur est déjà occupé. Le jour de la Saint-Valentin, en 1976, Jean et moi décidons de mettre un terme à notre idylle. Je suis à nouveau libre. Tout au cours du printemps, nous apprenons à nous connaître davantage, Michel et moi. Toutefois, je sais qu'il a décroché un contrat de travail à la Baie James pour la période estivale. Je me jure alors de ne pas m'attacher à cet homme parce que je suis bien consciente que la séparation sera, éventuellement, très douloureuse.

Nous comblons finalement cet éloignement en nous écrivant de douces et gentilles lettres et en faisant grimper nos comptes de téléphone ! Quand il a congé, Michel vient me voir. C'est ainsi que nous commençons à nous fréquenter. Mon cœur d'amoureuse s'ennuie toutefois beaucoup ce qui fait que, au beau milieu de l'été, je prends la décision d'aller rendre une petite visite à celui qui occupe tant mes pensées. Le père de Michel ainsi que son oncle travaillent aussi à la Baie James. Il m'est donc possible de séjourner chez ledit oncle qui habite là-bas avec sa femme.

C'est ainsi qu'à 19 ans, je vis mon baptême de l'air. En plus de l'énervement que me cause cette première, je constate, au moment de l'embarcation, que je suis la seule femme à bord de l'avion. La réalité de la Baie James est définitivement apparente dès le départ de Montréal. Ma mère a de la difficulté à cacher son inquiétude en voyant sa jeune fille partir avec cette bande d'hommes. Le chemisier légèrement transparent que je porte n'a rien pour la rassurer… Malgré le fait que je suis l'objet de plus d'un regard pendant le vol, le voyage se déroule très bien. À ma descente d'avion, à la Baie James, Michel est fidèle au poste et m'attend.

Un peu plus tard, j'apprends qu'avant que je me rende jusqu'à lui, Michel, fébrile derrière le comptoir de l'aéroport, m'avait envoyé la main pour me saluer. Je ne l'ai pas vu. Mais, évidemment, je ne portais pas mes lunettes…

Nous vivons trois magnifiques journées durant lesquelles il nous est donné de découvrir tous les dessous de la Baie James. Je suis à la fois impressionnée et intimidée par ce monde bien différent de celui qui est le mien et par ce milieu presque uniquement masculin. Lors de nos déplacements, Michel prend bien soin de me tenir la main...

À mon retour à Montréal, je sens mon cœur plus amoureux que jamais. La distance qui m'isole de cet homme que j'aime de plus en plus devient lourde à porter.

L'amour qu'il ressent pour moi et le sentiment d'éloignement ont finalement raison de Michel qui revient à Montréal avant la fin de son contrat. C'est alors qu'il déniche un emploi pour une compagnie de finance.

La grande demande

Avec tout le doigté dont je suis capable, je fais quelques fois mention à Michel de mon désir de me marier puisque le mariage fait partie de mes valeurs les plus profondes. À ces remarques, je reçois toujours, pour unique réponse : « Quand je serai prêt à te demander en mariage, je te le dirai. »

Par un beau soir de la fin de l'été 1977, Michel et moi allons prendre un verre au piano bar du Holiday Inn de Longueuil. Attablés près de la fenêtre, nous regardons le soleil se coucher sur Montréal et admirons les reflets multicolores qu'il projette sur le fleuve Saint-Laurent. Graduellement, les lumières de la ville illuminent le ciel au dessus de la Métropole. Nous nous laissons transporter par cette atmosphère propice aux rencontres amoureuses et nous échangeons sur divers sujets quand, au beau milieu de la conversation, Michel me regarde de ses yeux bleus océan et me lance :

— Tu te souviens, Lyse, je t'avais fait part que le jour où je serais prêt à te demander en mariage, je te le dirais. Ben, je suis prêt !

C'est donc le 24 décembre 1977, à la messe de minuit que, devant une église remplie à capacité, Michel et moi échangeons nos promesses de mariage en célébrant nos fiançailles.

Le 29 juillet 1978, à l'église Saint-Maxime de Ville Lemoyne, vêtue de blanc et coiffée de mon voile de première communiante, je me retrouve au pied de l'autel. J'unis ainsi ma destinée à celle de cet homme qui m'a conquise et que j'ai choisi pour la vie. En tenant la main de Michel et en le regardant droit dans les yeux, je sens une grande sécurité, une fiabilité et une stabilité qui me touchent profondément.

Je suis heureuse et fière d'avoir mis autant d'amour à la préparation de ce mariage. Tout ce qui se déroule sous mes yeux correspond à ce que j'avais imaginé dans mes rêves les plus beaux. Ayant toujours eu une signification bien particulière à mes yeux, les roses occupent une place de choix dans tous les détails de cette journée qui, sans l'ombre d'un doute, restera l'une des plus belles de ma vie. Mon bouquet est orné de roses de couleur rose et, sur le dessus du gâteau de noces, se trouvent également des petites roses de couleur rose.

29 juillet 1978 — Michel Veilleux et
Lyse Veilleux unissent leur vie

Je suis épanouie et je me sens privilégiée de devenir l'épouse de Michel, ce bon vivant avec qui il me sera possible de construire un nid d'amour auquel s'ajouteront des petits êtres de notre chair.

Après notre mariage, nous nous installons dans la maison-mobile que nous avons achetée pour le début de notre vie à deux. Elle est sise à L'Acadie, près de Saint-Luc, sur la rive sud de Montréal. Je travaille, à ce moment-là, pour le Consortium La Grande qui est un projet de la Baie James ayant trait à LG1, LG2 et LG3. Dans ce bureau, situé à l'intersection des rues Sherbrooke et Peel, à Montréal, j'occupe seule le poste de secrétaire. Je travaille en collaboration avec le directeur de projet et le comptable. Mes journées sont bien occupées puisque le boulot ne manque pas. Dès que le projet arrive à terme, je reçois une offre de la compagnie Domtar qui me propose un poste de secrétaire. C'est ainsi que je fais mon entrée au sein de cette entreprise le 20 octobre 1980 et que je quitterai, à regret, quelques années plus tard, dû à des circonstances incontrôlables…

De son côté, Michel occupe, à ce moment, un poste de représentant pour une compagnie de boisson.

Bien que notre maison-mobile représente la première demeure que Michel et moi avons choisie et décorée, elle devient un fardeau sur mes épaules. Je me sens de plus en plus isolée et, comme les bureaux de Domtar ont également pignon sur rue au centre-ville de Montréal, je dois m'imposer un trajet quotidien qui me semble interminable. De plus, les horaires d'autobus entre L'Acadie et Montréal ne sont pas très flexibles, ce qui me rend la situation encore plus pénible. Nous décidons donc de vendre notre fameuse maison-mobile pour nous rapprocher de la grande ville.

Nous déménageons nos pénates sur la rue Daniel, à Longueuil, à l'été 1982. Nous y demeurons deux ans pour finalement faire l'achat de notre première véritable maison que nous choisissons sur la rue Boucher, toujours à Longueuil.

À travers notre vie de tous les jours, Michel et moi apprécions beaucoup le bonheur qui nous accompagne. Nous avons tout ce qu'un jeune couple peut espérer. Nous évoluons tous les deux dans un domaine de travail que nous aimons, nous sommes propriétaires d'une maison coquette et chaleureuse, nous voyageons, nous pouvons compter sur l'affection de nos familles et de nos amis. Bref, nous profitons intensément de chaque jour et de chaque instant qui nous est offert.

C'est ainsi que j'imagine ma vie de jeune femme mariée. Lorsque je me mets à rêver, je nous vois, dans quelques années, changeant les couches, donnant le biberon et chérissant un petit trésor qui sera le nôtre. Je nous vois aussi évoluer dans nos milieux de travail et poursuivre la route que nous avons choisie et sur laquelle nous nous sentons bien. Je souhaite que la vie soit bonne pour nous deux et que Dieu ne cesse de nous accompagner sur le parcours que, main dans la main, nous sillonnerons quotidiennement.

Les rêves se brisent

De plus en plus, les gens me livrent des commentaires qui me laissent perplexe. On me dit qu'on m'a envoyé la main, qu'on est passé près de moi, mais je n'ai rien vu. Toutefois, je relie constamment ces moments bien précis au fait que je ne portais pas mes lunettes. En plus, je ne sais pas vraiment ce que c'est que de bien voir parce que je vois et j'ai toujours vu avec mes yeux, et non avec ceux des autres. Comme je ne sais pas ce que les autres voient, je ne suis pas portée à me poser des questions. Pas pour le moment, du moins…

Chez Domtar, par mon travail de secrétaire au département des relations avec les employés, je suis appelée à dactylographier des conventions collectives et à faire la lecture des épreuves de ces volumineux documents. Cette tâche requiert une attention bien particulière. La révision des épreuves est rendue nécessaire dû au fait que nous ne fonctionnons pas encore avec des ordinateurs. Donc, toutes les conventions collectives sont transcrites à la machine à écrire et lorsqu'une faute se glisse dans une page, il faut recommencer cette page dans son entier.

Par un phénomène que je ne saurais expliquer, il existe un important roulement de personnel chez les secrétaires de la compagnie. Les postes ne sont donc pas toujours comblés ou encore, les personnes engagées sont inexpérimentées dans le genre de tâches qu'elles doivent accomplir. Comme je suis probablement la personne la plus chevronnée du personnel de secrétariat, il arrive que ma charge de travail soit plus que considérable. Je dois souvent prendre les bouchées doubles pour m'assurer que les délais soient bien rencontrés.

Un beau jour, mon patron, André Arcand, me convoque à son bureau. Cette façon de faire ne lui est pas habituelle, ce qui m'étonne quelque peu. Je me rends à son bureau. Il me demande de m'asseoir et me dit :

— Depuis un certain temps, je me suis aperçu d'un changement dans ton travail et ça m'inquiète un peu. Lorsque tu transcris des documents à la machine à écrire, tu commets des fautes. Je ne te reconnais pas puisque tu as toujours été très consciencieuse. Tu confonds parfois les « a » et les « e ».

Troublée, je lui réponds :

— Pourtant, je ne suis pas dyslexique. Ces erreurs sont sans doute causées par l'imposante somme de travail que je dois accomplir. Je suis peut-être stressée et je veux trop en faire en peu de temps.

— C'est possible, me répond mon patron. Je voulais simplement te le dire pour que tu portes davantage attention à ce que tu écris. Si je ne vois pas d'amélioration, on se rencontrera à nouveau dans quelque temps.

Intriguée et ébranlée, je quitte son bureau. Certaines idées commencent véritablement à se bousculer dans ma tête. Je me souviens des commentaires qu'on me sert à l'occasion : « Tu n'as pas vu, je t'ai envoyé la main ». Ces paroles retentissent soudain en moi.

À peine quelques semaines plus tard, André me convoque à nouveau à son bureau. Cette fois, c'est sérieux.

— Lyse, je pense que ton problème est plus grave qu'on pourrait le croire. Regarde, dit-il en me tendant un document que j'ai transcrit à la machine à écrire, tu as oublié d'inscrire une phrase complète. Tu ne fais plus que confondre les lettres.

Je n'en reviens pas. Je regarde et je constate ce qu'André vient de me dire. Et pourtant, je porte toujours mes lunettes lorsque je travaille. Il semble évident que ces verres qui devraient normalement corriger mon problème de myopie ne me permettent plus de tout voir.

Comme son fils est atteint de plusieurs handicaps dont l'un est d'ordre visuel, André est davantage sensibilisé aux signes précurseurs d'un problème relié aux yeux. Il m'exprime alors ses doutes au sujet des difficultés que j'ai connues au cours des dernières semaines. Il me dit finalement :

— Je ne suis pas certain, mais il se pourrait que ta vue ait baissé sans que tu t'en sois aperçue. Tu devrais peut-être consulter un ophtalmologiste. Ce spécialiste sera en mesure de détecter si tes yeux sont atteints d'une maladie ou d'une importante déficience. Ainsi, tu en auras le cœur net.

Mes yeux sont passés au peigne fin

Avant d'être engagée chez Domtar, je me souviens avoir passé un examen médical complet. Au moment des tests de la vue, j'ai senti une certaine hésitation de la part du médecin. Toutefois, il ne semblait pas en faire un cas. Rien n'avait donc été décelé à cette époque.

À la suite des arrangements pris par André, je me rends chez l'ophtalmologiste de la compagnie pour passer des tests qui, je l'espère, amèneront une réponse à mes interrogations et me rassureront sur ma capacité visuelle.

Les résultats obtenus par ces examens semblent provoquer certains doutes dans l'esprit de l'ophtalmologiste. Sans me préciser la nature de ses soupçons, il m'annonce :

— J'aimerais que tu te rendes consulter le docteur Roch Gagnon qui est aussi ophtalmologiste. Il est spécialisé dans le domaine des problèmes ayant trait à la rétine.

Je veux bien poursuivre toutes ces démarches, mais je commence à trouver que mon cas est drôlement intriguant. Je me demande pourquoi les spécialistes veulent toujours aller plus loin dans leurs recherches. Quels sont leurs soupçons ? Plus j'y pense, plus je suis inquiète.

Un souvenir me revient soudain en tête. J'avais environ 16 ans lorsque, comme à tous les ans, je suis allée passer un examen de la vue pour vérifier si la myopie dont je souffrais avait augmenté. Lors de cette visite chez l'optométriste, ce dernier avait dit à ma mère :

— Mon Dieu ! J'ai bien peur qu'un jour, votre fille devienne aveugle.

Ma mère aurait voulu le tuer alors que moi, je ne le croyais pas du tout. Inutile de dire que ce fut ma dernière visite chez cet optométriste...

Par la suite, je fus examinée par divers optométristes, mais jamais personne ne m'a parlé de problème plus sérieux que ma simple myopie.

Pourtant, à constater toutes les préoccupations dont je suis l'objet présentement, je ne peux faire autrement que de me poser de nombreuses questions. L'optométriste

que je ne suis jamais retournée visiter aurait-il vu juste ?
Je n'ose y penser…

Par un jour sombre de la fin septembre 1984, je me
rends donc au bureau du docteur Roch Gagnon. Pendant
l'examen qu'il me fait subir, le docteur Gagnon m'explique :

— Je constate que vous avez un problème visuel
sérieux. Avez-vous déjà entendu parler de la rétinite pigmentaire ?

— Non, pas vraiment, lui dis-je.

— C'est une maladie de l'œil qui provoque la perte
graduelle de la vue et qui peut mener jusqu'à la cécité. La
personne qui en est atteinte peut donc devenir aveugle.

Il poursuit son discours en me disant que dès qu'il
aura les résultats complets, il produira un rapport qui sera
remis à mon employeur.

À la sortie du bureau du docteur Gagnon, je me sens
très nerveuse. Ce que je viens d'entendre me chavire. Je
me calme toutefois en me disant que ça ne se peut pas,
que moi, Lyse, je ne peux pas devenir aveugle. Le docteur
Gagnon m'a dit tout cela, mais il s'est trompé. Puis, de
toute façon, rien n'est encore concret puisque je n'ai pas
le rapport entre les mains. Je considérerai la situation
lorsqu'il émettra son verdict final. Pour le moment, je
dois me concentrer sur ma vie avec Michel, mon travail,
ma famille et mes amis. Pour le reste, on verra…

Évidemment, je ne peux m'empêcher de faire part à

Michel et à mes parents des propos qu'a tenus le docteur Gagnon. Tous ont la même réaction. Il est inutile de se préoccuper de toute cette histoire tant que rien n'est rendu officiel.

Il est vrai que c'est encore la meilleure façon d'envisager la situation. Toutefois, lorsque je me retrouve seule, je ne peux faire autrement que de m'imaginer quelle serait ma vie si je ne pouvais plus rien voir.

L'attente me semble par moment presque interminable. Les minutes, les heures, les jours et les semaines s'écoulent et je ne sais toujours pas ce qui m'attend.

À quelques jours de la belle fête de Noël, Ginette Dupont, la personne responsable de la transmission aux employés, des rapports médicaux, demande à me rencontrer.

Mon heure de vérité est arrivée, je le sais. Mon cœur bat très vite et très fort. J'ai peur. Dans quelques instants, je saurai tout. Dès lors, ma vie pourrait ne plus jamais être la même…

CHAPITRE DEUX

Le diagnostic

Les larmes, c'est comme une rosée
qui empêche le cœur de faner,
une rosée qui l'aide à refleurir comme avant

ANONYME

AVANT DE ME RENCONTRER, Ginette a pris le temps de lire le rapport qu'a fait parvenir le docteur Roch Gagnon. Elle vient me voir et me demande si elle peut me parler confidentiellement. Nous nous rendons dans le bureau de l'un des patrons de la compagnie qui est absent à ce moment-là. Je m'assois alors que Ginette demeure debout.

Probablement trop bouleversée elle-même pour m'apprendre délicatement ce que contient le rapport, elle le lance sur le bureau et me dit :

— Lis ça !

À la fois bouleversée et angoissée, je prends le rapport. De mes mains moites appuyées sur le bureau, je soulève lentement le document qui, telle une bombe, risque de m'exploser en plein visage. Hésitants, mes yeux se posent finalement sur le rapport et je débute ma lecture.

RAPPORT – CLINIQUE OPHTALMOLOGIQUE DE L'OUEST

Le 21 décembre 1984

À Ginette Dupont, Domtar Inc.

Objet : Lyse Veilleux

Chère madame,

[...] En effet, j'ai vu madame Lyse Veilleux le 26 septembre 1984. [...] Je vous fais parvenir mon rapport [...]. Dans l'histoire, madame Veilleux rapporte qu'elle avait de la myopie dès la petite école. Elle a eu des lunettes avec lesquelles elle voyait bien au tableau. Depuis quatre à six ans, elle a noté une baisse visuelle assez importante. Elle a vu le docteur Jacques Lemire qui aurait alors diagnostiqué une rétinite.

À l'examen du 26 septembre 1984, on note une acuité visuelle qui ne se corrige pas à mieux que 20/100 à l'œil droit malgré un verre de −4.00, +2.00 à 75 degrés ni mieux que 20/400 à l'œil gauche avec un verre de −6.25, +1.75 à 85 degrés. La motilité oculaire, les paupières, les conjonctives et les pupilles sont normales. Au niveau des fundi, on note qu'il y a une perte presque totale de la couche pigmentaire de la rétine et que les artérioles sont fortement diminuées de volume. Ceci s'accompagne au champ visuel de pertes très importantes. À l'œil droit, il ne reste plus qu'un îlot central de 10 degrés de largeur et 30 degrés de hauteur, tandis qu'à l'œil gauche, il n'y a qu'un champ visuel d'environ 5 degrés au centre avec petits îlots périphériques de vision hésitante en nasal et temporal.

> **IMPRESSION :** D'après l'examen clinique, madame Veilleux souffre d'une rétinite pigmentaire sans pigment. Ceci devra être confirmé par l'électro-rétinographie. Quoi qu'il en soit, la perte visuelle est très importante et malheureusement irrécupérable. **LÉGALEMENT, MADAME VEILLEUX EST CONSIDÉRÉE AVEUGLE.** C'est dire qu'il est fort compréhensible qu'elle ait des difficultés majeures dans le travail qu'elle accomplit et que l'on ait remarqué un ralentissement important de ses activités. Malheureusement, je n'ai d'autres conseils à donner que celui de respecter ses capacités visuelles et la vitesse à laquelle elle peut travailler. Je crois que madame Veilleux est une femme très mature avec qui le mieux est de discuter de la situation afin d'arriver à des solutions qui seront à la satisfaction des deux partis.
>
> Je vous prie d'agréer l'expression de mes salutations distinguées,
>
> Roch Gagnon, M.D.

En une fraction de temps, mon cœur s'arrête brutalement à la vue d'une phrase qui, pour moi, est dépourvue de tout sens : **Légalement, Madame Veilleux est considérée aveugle.** Je ne vois que ce bout de texte et je ne comprends rien. Complètement décontenancée, je lève les yeux vers Ginette et je lui demande :

— Qu'est-ce que ça veut dire ? Je ne peux pas être considérée comme étant légalement aveugle alors que je vois, que je suis en mesure de lire le rapport et de lire que je suis légalement aveugle. C'est un non sens.

Malhabile, Ginette me répond d'une voix sèche et neutre :

— Ça veut simplement dire que tu vas perdre graduellement la vue et que tu deviendras complètement aveugle. La maladie dont tu es atteinte est la rétinite pigmentaire. C'est ce qui explique que depuis quelque temps, tu éprouves des problèmes avec tes yeux.

— Mais je ne peux pas être légalement aveugle alors que je vois, poursuis-je avec insistance.

— Une personne qui est déclarée légalement aveugle doit avoir une vision égale ou inférieure à 20 sur 200. Par exemple, une personne qui voit parfaitement a une vision de 20 sur 20. Ce qui veut dire que si tu te compares à cette personne, tu dois être à une distance de 20 pieds d'un objet que ladite personne, elle, peut voir à une distance de 200 pieds. Donc, dans ta condition actuelle, il est vrai que tu es légalement aveugle.

Aveugle, aveugle, aveugle. Ce mot résonne de partout dans mon corps.

En date du 21 décembre 1984, moment où le rapport a été émis, je suis donc officiellement atteinte de la rétinite pigmentaire et, plus encore, je suis légalement aveugle.

Je sors du bureau. Il me semble que le sang coule dans mes veines à une vitesse vertigineuse. Mon corps est agité et je ne peux l'empêcher de trembler. M'en retournant à mon bureau, je croise le regard de Ginette Pilon, une autre secrétaire qui, au fil du temps, est devenue pour moi une bonne amie et une confidente. Stupéfaite, elle me demande :

— Lyse, qu'est-ce qui t'arrive ?

Je ne suis pas capable de répondre. Elle me prend par le bras et m'amène dans un autre bureau vacant. Heureusement pour moi, les patrons sont en négociation, ce qui fait que nous sommes passablement tranquilles et que les bureaux sont libres.

En entrant dans le bureau où m'invite Ginette, j'éclate en sanglots. Je pleure, je pleure et je pleure encore. Je suis incapable de cesser de pleurer. Pendant tout ce temps, Ginette ne sait toujours pas pourquoi je me retrouve dans cet état. De ses grands yeux verts compatissants, elle me regarde pleurer en tentant de me consoler. Mais je pleure encore.

Je finis par sécher quelque peu mes larmes et je lui explique ce que je viens d'apprendre et la façon dont je l'ai appris.

— Je suis légalement aveugle, je vais devenir aveugle, que je lui raconte.

Je n'ai toujours que le mot « aveugle » en tête. Je ne peux croire ce qui m'arrive. Je ne peux réaliser que c'est bien de moi dont il est question.

Tentant en vain de me consoler, Ginette sort finalement du bureau pour aller voir son patron. Elle lui demande de me donner congé afin de me laisser le temps d'absorber la nouvelle que je viens de recevoir. Monsieur Dawson lui suggère plutôt de m'amener dîner. Faisant montre d'une grande compréhension, il insiste pour que nous prenions le temps de désamorcer ce drame qui nous frappe.

Ginette revient dans le bureau où je me trouve. En me voyant, elle ne peut cacher son désarroi. De sa voix douce et enveloppante, elle me dit :

— Mais tu pleures encore ! Viens, nous allons dîner. Un changement d'atmosphère te fera du bien.

Je n'ai pas le goût de manger, mais il le faut bien. Je me sens vide, je me sens perdue. Même si Ginette est à mes côtés, je me sens seule. Je ne cesse de me répéter que ce n'est pas possible puisque je vois.

Je me sens entrer dans une espèce de coma psychologique. C'est ce que je pourrais appeler une cécité de la tête et du cœur. J'annonce la nouvelle à Michel, à mes parents, à mes frères, à mes amis, mais je ne réalise pas quelles sont leurs réactions. Je suis dans ma bulle à moi. Mon univers n'est plus maintenant centré que sur le fait que je suis légalement aveugle et que je vais devenir complètement aveugle.

Bien sûr, tous les gens que j'aime et qui m'aiment sont aux petits soins avec moi. Je les vois agir, mais je ne suis pas là. Au travail, on essaie de trouver des solutions pour tenter d'adapter mon poste à ma nouvelle réalité. Je m'en fous également. Rien ni personne ne pourra me redonner ce que je suis en train de perdre.

Quelques semaines s'écoulent avant que je sorte tranquillement de cette bulle psychologique dans laquelle je me suis réfugiée depuis que ma vie a complètement chaviré.

Qu'est-ce que la rétinite pigmentaire?

Je me propose donc de prendre quelques renseignements sur ce qu'est la rétinite pigmentaire. Si maintenant il est officiel que je suis atteinte de cette maudite maladie, aussi bien en connaître les détails et les conséquences afin de me préparer au pire.

Dans mes recherches, je découvre donc que la rétinite pigmentaire est une maladie héréditaire qui amène la dégénérescence des cellules rétiniennes. Ceci signifie donc que l'un de mes parents, sinon eux deux, sont porteurs du gène de cette maladie. À la suite du diagnostic que je reçois, mes deux frères passent les tests qui pourraient détecter s'ils sont, eux aussi, atteints de cette maladie. Heureusement, les résultats s'avèrent négatifs. J'apprends également que la rétinite pigmentaire affecte la rétinite qui sèche et meurt. Cette membrane qui est composée de cellules nerveuses et couvre le fond de l'œil a pour fonction de percevoir et d'analyser tout ce que l'on voit. En fait, son rôle est apparenté à celui de la pellicule d'un appareil photo. Lorsque la rétine se dégénère, la vue subit une détérioration, exactement comme quand une pellicule photographique est exposée à la lumière du jour. On peut expliquer cette déficience visuelle par la destruction des bâtonnets qui permettent de bien voir latéralement. Ainsi, le champ de vision se rétrécie graduellement jusqu'à ce vienne la cécité. Pour pallier à sa vision réduite, la personne atteinte de la rétinite pigmentaire doit constamment faire un balayage, c'est-à-dire qu'elle doit bouger les yeux de gauche à droite et de bas en haut pour essayer d'élargir son champs de vision.

Il n'y a pas que le champs de vision qui est affecté par la rétinite pigmentaire. La distinction des couleurs devient également difficile puisque les cônes ne réussissent plus à exercer leur fonction de façon adéquate. Il est aussi évident que la personne atteinte aura, un jour ou l'autre, beaucoup de mal à lire, peu importe la grosseur de l'écriture.

D'ailleurs, je me rends compte que la taille d'un objet que je regarde importe peu. Comme mon champ de vision rétrécie, l'objet ne doit pas nécessairement être gros pour que j'arrive à le voir. Il doit cependant présenter un certain contraste. C'est pourquoi il m'est plus facile de lire un texte lorsqu'il est écrit en crayon gras. Il est alors davantage contrastant avec le papier blanc sur lequel il est écrit.

Au Canada, près de 100 000 personnes, dont environ 15 000 Québécois souffrent de la rétinite pigmentaire. Aucun traitement ni aucune chirurgie n'existent encore pour ralentir ou arrêter la progression de cette maladie de l'œil. La rétinite pigmentaire est, par le fait même, une maladie incurable.

Depuis le début des années 70, plusieurs personnes travaillent régulièrement sur des recherches afin de trouver un remède miracle pour mettre fin à l'évolution de la rétinite pigmentaire. Les recherches sont principalement effectuées dans les universités et les hôpitaux tels que l'Université McGill et l'hôpital Sainte-Justine, tous deux situés à Montréal. La maladie, quant à elle, a été découverte en 1950.

Généralement, le diagnostic est prononcé alors que la personne atteinte est à l'aube de ses 20 ans. Toutefois, il arrive que des enfants et des personnes plus âgées soient aussi touchés par cette maladie affectant la vision.

Voilà donc ce que rapportent mes premières recherches sur la maladie dont je souffre. Ces renseignements m'aident ainsi à prendre conscience du grand bouleversement que vient de connaître mon existence. Ma tête et ma raison comprennent davantage ce que deviendra ma vie. Pour mon cœur et tout mon être intérieur, la situation est toutefois bien différente. Il me faudra probablement un peu plus de temps pour absorber le choc et faire face à cette impitoyable réalité qui fera que tout mon univers deviendra noir. Je devrai découvrir au fond de moi des forces que je ne soupçonne même pas encore et je devrai laisser le temps faire son œuvre…

Neuf mois ont passé

Laisser le temps faire son œuvre n'est pas toujours un principe facile à appliquer. Je voudrais bien avoir la sagesse de vivre ainsi, mais toutes les idées qui me rongent ne m'amènent pas vraiment à penser de cette façon.

Il y a maintenant neuf mois que je sais. En fait, je sais, mais je ne sais pas tout. Je sais qu'un jour, je ne verrai plus, mais je n'ai pas d'idée quand viendra ce jour. Présentement, même si la lecture me demande beaucoup d'énergie parce que mon champ de vision continue de se rétrécir, je me sens choyée parce que je peux encore lire et écrire. Je profite de ce privilège qui m'échappera tôt au tard.

Par moment, je ne peux m'empêcher de ressentir un grand sentiment de révolte. En ce 20 septembre 1985, je sens en moi un immense besoin de crier ma détresse et ma rage. Il me semble que les leçons de Dieu sont parfois très dures et très cruelles. Une douleur ne cesse de me déchirer à l'intérieur. Cette douleur m'étouffe au point de vouloir en finir. Finir de souffrir, finir de vivre dans le brouillard. Quand je pense au suicide, je cherche à tuer le mal en moi. Je ne suis pas toujours certaine que j'arriverais à trouver le courage de mettre fin à cette vie qui me semble parfois un enfer, mais je me surprends à y penser...

C'est ma vie et pourtant je ne vis pas tout à fait. Je souffre d'une existence qui n'est pas la mienne, que le destin a choisi contre mon gré. J'ai mal de vivre, de vivre dans l'incertitude du lendemain. Pourrais-je encore voir, demain, le visage des gens que j'aime ? Pourrais-je contempler ce panorama que Dieu a créé pour être vu et admiré ? Certes les yeux du cœur ont leur fonction, mais… Dieu, Toi qui me vois, donne-moi la grâce de croire encore, de croire en Toi. Les jours passent et je me lasse. Je veux trouver la lumière, je veux voir au fond des choses.

Près d'un an s'est écoulé depuis que la rétinite pigmentaire est officiellement entrée dans ma vie. Même si je me rends quotidiennement au bureau de Domtar, je ne trouve plus de plaisir à effectuer mes tâches. Il me semble que plus rien n'a sa raison d'être. En fait, elles sont rares les journées où je déborde de bonheur. Souvent, je ne connais que des bonheurs d'occasion. Quelle douleur j'éprouve lorsque je me sens stupide et inutile, que tout ce que je fais me donne l'impression d'être imbécile et sans importance. J'ai le goût de pleurer, de crier, j'ai affreusement mal. Pourquoi ça m'arrive à moi ? Qu'est-ce que j'ai fait pour mériter ce destin ? Quand vais-je accepter cette maudite situation ? Quand ? Est-ce que je vais un jour m'en sortir, que ce soit pour le meilleur ou pour le pire ?

Je ne parviens pas à comprendre les gens qui évoluent autour de moi et qui se font du souci pour les banalités de la vie. Pendant ce temps, moi, je me bats avec ma nouvelle réalité. Souvent, ces gens ne me voient pas. Ils ne voient que leurs nombrils. Ça m'enrage !

J'ai le cœur gros, je retiens mes larmes. Quelquefois, je pense qu'il vaut mieux rire que pleurer. Mais qu'il en faut du courage pour rire quand la gorge se sert et que les larmes ne font que monter aux yeux. J'avale, il le faut bien car je suis présentement au bureau. On m'a assigné un nouveau poste. Je travaille à la réception. Ce serait donc mal venu de pleurer alors que je dois être souriante et chaleureuse pour les gens qui viennent nous visiter et qui nous téléphonent.

Mon bureau est rempli de travail à effectuer, mais je n'en ai pas le goût. J'ai le sentiment d'étouffer. Ma respiration est difficile. Il y a encore des jours où je voudrais en finir. Que Dieu me pardonne plutôt que de me punir de penser de cette façon, mais souffrir sans connaître la fin de la souffrance, c'est insupportable. Tout simplement insupportable.

Je me sens tellement seule. Seule dans ce monde, dans mon monde. Il me semble qu'il y a des jours et des jours que cette solitude m'écrase, m'anéantit et me détruit. Même si je suis entourée de gens qui m'aiment, même si Michel, mes parents, mes frères et mes amis sont près de moi, ils ne vivent pas ma réalité. Ils ne sont pas en voie de perdre la vue, de devenir aveugles. Toute l'énergie qu'ils déploient pour moi ne changent rien à ma situation actuelle. Je suis toujours seule. Je suis seule pour puiser en moi les ressources nécessaires et fondamentales qui me permettront de poursuivre cette lutte, ce combat livré à moi-même.

Si je n'ai pas le cran de mettre fin à mes jours, je peux peut-être trouver le courage de vivre. Au fond de moi, je sens ce besoin de vivre qui m'aidera probablement à découvrir un nouveau sens à mon existence. Oui, c'est ce besoin de vivre que je dois exploiter. Ainsi, je pourrai réellement continuer ma lutte en vivant les yeux tournés vers l'espoir.

Les roses se remettront alors à s'épanouir et ma vie sera à nouveau teintée de rose. Même si certains jours, elle sera peut-être d'un rose moins éclatant, elle vaudra encore la peine d'être vécue. Et c'est de cette façon que j'apprendrai à vivre avec la rétinite pigmentaire et que j'affronterai chaque nouvel obstacle qui se présentera sur ma route. Oui, à 28 ans, je choisis la vie, ma vie.

CHAPITRE TROIS

La vie continue malgré tout

À toi qui oses… j'offre de tout mon cœur…
cette simple rose… à la plus belle des fleurs.

GUNATHAR

MÊME SI JE PRENDS LA DÉCISION de vivre, je me rends bien compte que ce n'est pas rose tous les jours. Je dois fournir des efforts constants pour m'adapter à ma nouvelle réalité et, même si je ne me laisse pas décourager, je sens une lourde pression sur mes frêles épaules.

Il m'apparaît alors nécessaire d'entreprendre des démarches pour m'appuyer sur des moyens techniques, physiques et psychologiques afin de pouvoir prendre ma destinée bien en mains. Je me tourne donc vers l'Institut Nazareth Louis-Braille (INLB) et vers l'Institut national canadien pour les aveugles (INCA). Ces organismes me permettent de rencontrer des professionnels telle une psychologue qui m'aident à apprivoiser la rétinite pigmentaire et qui me soutiennent dans les moments plus difficiles de mon cheminement vers l'acceptation de cette maladie qui m'affecte.

J'entame également des recherches pour essayer d'obtenir certaines réponses aux questionnements qui me hantent depuis que je sais que ma vie ne sera plus pareille. Je fais le nécessaire pour mettre la main sur le rapport d'hôpital qui a été émis au moment de ma naissance, le 13 décembre 1956. Je me souviens que ma mère m'a déjà raconté que lorsque je suis née, je souffrais d'un problème à l'œsophage et j'ai même failli mourir. Ces recherches me permettent donc de vérifier si cet événement a un lien avec le fait que je suis atteinte de la rétinite pigmentaire.

J'apprends finalement qu'il n'existe aucun rapport entre ces deux problématiques reliées à mon corps. Cette nouvelle ne satisfaisant pas ma soif de savoir, je poursuis mes démarches. Je cherche partout, partout, partout. Je veux avoir des réponses et je m'accroche à la possibilité d'une solution qui pourrait m'éviter de perdre complètement la vue.

Une grande déception

Dans toute la tumulte qui s'est déroulée dans ma tête et dans mon corps avant que je décide de prendre en charge mon existence, une lueur d'espoir s'est pointée à l'horizon. À Boston, aux États-Unis, une étude se déroule dans le but de découvrir la cause de la rétinite pigmentaire et d'élaborer un traitement qui permettrait de ralentir le processus de la dégénérescence de la rétine et peut-être même d'en arriver à écarter l'apparition de la cécité.

Pour participer à cette étude, les candidats doivent être sélectionnés à partir de critères bien précis tel que le pourcentage de vision de chaque œil.

Malgré les sombres moments que je traversais durant la période où j'ai été mise au courant de cette étude, je m'étais montrée intéressée à faire partie du groupe de candidats potentiels.

Aujourd'hui, le 31 octobre 1985, mon espoir s'écroule. C'est officiel, je n'irai pas à Boston. On me dit que je ne corresponds pas aux critères qui sont exigés pour participer à l'étude. Je possède encore une trop grande capacité visuelle. J'ai de la peine. Je ne saurai jamais si un traitement pourrait ralentir la progression de cette maladie qui me rendra non-voyante. Je devrai demeurer dans l'insécurité, le doute et la peur. Au fond de moi, je m'accrochais à cet espoir. Cette étude me donnait une raison de voir la vie avec un soupçon d'optimisme. Mais voilà, je dois tourner la page et continuer à espérer.

Et la vie continue pendant que je ris encore pour ne pas pleurer.

Au travail, la vie continue également. J'occupe un poste de réceptionniste en remplacement d'un congé de maternité qui se prolonge pendant un an et demi. Je m'habitue à travailler avec un nouveau patron, Denis

Roy. J'apprécie la compréhension et l'attention de cet homme qui tente de me faciliter les tâches que je dois accomplir. Même si je suis encore en mesure de lire et d'écrire, je dois m'appuyer sur des moyens techniques pour alléger mon travail.

Ainsi, en collaboration avec l'Institut Nazareth Louis-Braille, j'apprends à utiliser un ordinateur qui fonctionne avec une synthèse vocale. Lorsque je transcris un texte à l'ordinateur, une voix synthèse lit ce qui est inscrit à l'écran. De ce fait, il n'est plus nécessaire que je regarde ce que j'écris.

Donc, en me familiarisant avec ce nouvel outil de travail, je peux retourner à mes fonctions de secrétaire. Je partage alors mon temps entre la réception et le secrétariat. Et les jours continuent de se succéder...

Dans ma vie personnelle, l'adaptation et l'ajustement aux nouvelles situations progressent graduellement. Il n'est pas toujours facile pour Michel de réaliser et de comprendre à quel point la rétinite pigmentaire peut avoir des influences sur mon univers.

Ensemble, nous laissons passer le temps comme s'il pouvait amener une solution à tous les maux...

Faits cocasses

Bien sûr, la rétinite pigmentaire n'entraîne pas seulement de tristes périodes. Pour ceux qui ont encore la capacité de rire malgré le combat à mener, elle peut aussi provoquer de cocasses situations.

Dans mon cas précis, une luminosité trop intense affecte fortement ma capacité à voir correctement. C'est ainsi que, lors d'une pause magasinage, je me trouve dans une boutique qui, évidemment, est éclairée par des néons. J'ai une bonne idée derrière la tête et je veux faire l'achat d'un chemisier beige. Je demande l'assistance de la vendeuse en lui montrant le pantalon avec lequel j'ai l'intention d'agencer ledit chemisier. Elle y va d'une suggestion qui me plaît vraiment. J'essaie le chemisier de texture satinée qui me va comme un gant. Je l'achète et je sors de la boutique toute heureuse de ma nouvelle acquisition.

J'entre à la maison et je dis à Michel :

— Regarde ce que je me suis acheté !

En sortant le chemisier du sac, je sursaute. Il est bien beige mais, à ma surprise, il est parsemé de minuscules fleurs de différentes couleurs. C'est à croire que, de façon miraculeuse, ces fleurs se sont épanouies durant le trajet entre la boutique et la maison. À la boutique, je l'avais pourtant vu uni, ce chemisier. Ah ces fameux néons ! Je n'en reviens tout simplement pas et je raconte ma séance de magasinage à Michel en lui exprimant mon étonnement. Je ris finalement de bon cœur. Quoi faire d'autre ?

⠁

Le métier de secrétaire exige une tenue vestimentaire irréprochable. De par ma fierté, je m'assure toujours de porter des vêtements et des accessoires bien agencés. Il m'arrive rarement de demander l'avis de Michel à ce sujet.

Un beau jour, je me présente au bureau en étant persuadée d'avoir bien coordonné mes vêtements et mes accessoires. La journée se déroule normalement et, vaquant à mes nombreuses occupations, je rencontre plusieurs directeurs de la compagnie. J'apporte des tasses de café et d'importants documents dans la salle de réunion.

En fin de journée, une des secrétaires m'apostrophe alors que je classe des dossiers :

— Lyse, depuis ce matin, je n'ose te le dire, mais tu portes un soulier noir et un soulier bourgogne.

Gênée, je rougis et je baisse les yeux pour me regarder les pieds. Je n'ose y croire !

Depuis mon arrivée au bureau, le matin, je ne me sentais pas tout à fait bien dans mes souliers. Ah ! Voilà donc pourquoi !

⠁

Arrivée à la maison après être passée à l'épicerie, je m'affaire à déballer mes emplettes. Je prends bien soin de ranger, minutieusement et de façon ordonnée, les conserves et les bouteilles dans le garde-manger.

Un peu plus tard, je décide de me faire cuire un bon hamburger. Comme tout bon hamburger doit être servi avec du ketchup, je me dirige vers le garde-manger pour prendre la bouteille en question. D'un geste assuré, j'inonde mon hamburger du contenu de la bouteille. Soudainement, une odeur parfumée me monte au nez. Horreur! Je m'aperçois que j'ai confondu la bouteille de revitalisant avec la bouteille de ketchup.

Bon appétit!, que je me dis...

Ma vision diminue

Je connais des hauts et des bas. Il y a des journées où je me sens bien et où tout me paraît facile. Par contre, d'autres jours, tout est plus ardu, plus sombre.

Pendant mon travail au bureau, je constate un changement. La lecture devient de plus en plus difficile. Je dois lire tranquillement en me concentrant sur chacun des mots. Tout s'embrouille. Je ne veux pas me l'avouer, mais l'évidence me crève les yeux. Ma vision diminue. Sans contredit, l'évolution de la dégénérescence de ma rétine se poursuit et mon champ de vision continue de se rétrécir. Au fond de moi, je le sais, mais je ne veux pas le croire. Non, pas maintenant! J'ai encore trop à faire, trop à aimer et trop à admirer pour que la noirceur s'abatte déjà sur moi. Je veux avoir la chance de tout voir une autre fois, une dernière fois avant que la lumière s'éteigne.

Certains jours, malgré ma bonne volonté, je ne sais où j'en suis. Je ressens encore ce sentiment, mais je suis calme. Ma tempête intérieure s'est apaisée. Je me demande souvent comment les gens qui me côtoient me perçoivent et si, à leurs yeux, je suis différente.

En ce 19 février 1986, je me rends chez le docteur Gilles Marcil pour subir mon examen annuel de la vue. Comme je l'avais pressenti, la vision de mon œil gauche a diminué. Ce cher docteur Marcil m'exprime toute son admiration. Il ne peut croire que je continue tout de même à travailler et que je parvienne à me maquiller à tous les jours.

Même si je perds graduellement la vue, je ne perdrai jamais ma coquetterie féminine, parole de Lyse ! Et tant et aussi longtemps que je pourrai vivre de cette façon, si Dieu le veut, je continuerai ma route. Malgré tout, je me sens heureuse.

Le ciel est bleu et le vent est doux. Par ce beau lundi, 14 avril 1986, je profite de la vie. Les rayons du soleil m'aveuglent, mais je respire l'air du printemps. Vêtue d'une jupe noire, d'un chemisier noir et d'un veston rouge, je me sens fière et je suis bien dans ma peau. Je descends de l'autobus au coin du boulevard Roland-Therrien et de la rue Boucher, à Longueuil. Je ne suis qu'à quelques minutes de la maison et j'ai hâte de rejoindre Michel.

Par précaution, avant de m'aventurer à traverser la rue, je prends le temps d'écouter s'il n'y a pas d'auto en vue. Effectivement, j'entends le bruit du moteur d'une auto qui me semble immobile. Je décide donc de m'avancer et, au même moment, l'automobiliste qui ne saisit pas que je ne le vois pas, s'engage devant moi. Brusquement, j'entre en collision avec la voiture. Je fige sur place. Je suis complètement perdue. Une fraction de seconde me suffit pour retrouver mes esprits. Heureusement, je ne suis pas blessée. L'automobiliste s'arrête, s'informe de mon état et poursuit sa route. Ébranlée, je me dirige vers la maison.

J'ouvre la porte, Michel m'aperçoit et s'exclame :

— Que t'est-il arrivé ? Tes vêtements sont couverts de poussière !

Mes jambes commencent à trembler et ma gorge se serre. Je lui réponds :

— J'ai failli me faire frapper.

De façon typiquement masculine, Michel ajoute :

— Si tu continues, ce n'est non seulement la vue que tu vas perdre, mais aussi la vie.

C'est à ses mots que j'ai véritablement été frappée !

Encore une fois ma coquetterie féminine et mon orgueil m'ont joué un vilain tour. Lorsque je suis descendue de l'autobus, j'ai volontairement laissé ma canne blanche bien pliée dans mon fourre-tout. À partir de ce jour, je ne me permettrai plus de me déplacer à l'extérieur sans utiliser cette chère canne blanche.

Je me surprends à imaginer la scène inverse où Michel se ferait frapper par une voiture. J'ai tellement mal à cette pensée que je peux comprendre sa réaction lorsque je suis entrée à la maison.

Il aura probablement fallu qu'une pareille mésaventure survienne pour que je comprenne que la vie que je voulais pourtant rejeter il n'y a pas si longtemps a vraiment du prix à mes yeux.

Il aura aussi probablement fallu qu'un tel incident se produise pour que je prenne réellement conscience de ma nouvelle situation. Que je le veuille ou non, la rétinite est bien présente et je ne peux plus la contourner.

Maintenant, je sais !

Les cours de mobilité

Je sais que je devrai apprendre à fonctionner comme quelqu'un qui perd la vue. Étant donné que les gens ne peuvent se rendre compte de ma déficience visuelle simplement à me regarder, je tente par tous les moyens de leur cacher la vérité. Je me sers au maximum de ce qui me reste de vision.

Même si j'ai failli me faire sérieusement happée par une voiture, je continue à éprouver de la difficulté à accepter que j'ai maintenant besoin de la canne blanche pour me déplacer. Dans ma tête, cette fameuse canne blanche, elle est destinée seulement à ceux qui ne voient plus rien. Moi, je vois encore un peu.

Il me semble que ce serait préférable que je puisse obtenir un chien-guide plutôt que de devoir me mouvoir avec une canne blanche. D'ailleurs, j'attends une réponse de la Fondation Mira qui doit m'évaluer avant de prendre une décision à mon sujet. Je me croise les doigts et j'espère que, cette fois, je satisferai aux critères de sélection.

Entre-temps, je rencontre des personnes ressources à l'Institut Nazareth Louis-Braille qui me permettent d'apprivoiser tranquillement cette canne blanche qui deviendra mon principal outil de confiance.

J'apprends finalement que, une fois de plus, ma trop grande capacité visuelle m'empêche de toucher le but visé. Je n'aurai pas de chien-guide. Ce n'est pas toujours facile de me situer dans cette galère, j'avoue. Des jours je suis assez non-voyante, d'autres jours, je ne le suis pas assez. Je ne sais plus ce que je devrais comprendre.

Quoiqu'il en soit, je me rends bien compte que j'éprouve de plus en plus de problèmes à évaluer les distances lorsque je suis à l'extérieur. La réalité est devant moi et, malgré une certaine réticence, c'est avec un brin de curiosité que je me rends à mes cours de mobilité qui ont lieu les lundis et vendredis de 8 h 30 à 10 h. Après tout, j'ai peu à perdre et probablement beaucoup à gagner.

Agathe, ma guide, est tout simplement formidable avec moi. Elle sait me faire réaliser à quel point la canne peut tenir un rôle important dans ma vie et me permettra de reprendre confiance en moi et en mes moyens. En fait, Agathe me présente cet outil de façon à me le faire aimer. En plus, elle est une guide très consciencieuse. Elle transmet efficacement son enseignement de l'apprentissage et de la connaissance de la maîtrise de la canne. Je lui dois une fière chandelle !

Je poursuis donc mes cours de mobilité par ce beau printemps 1986. J'apprends à me déplacer à l'intérieur et à l'extérieur et à repérer les escaliers, les chaînes de trottoir, tous les objets qui peuvent m'obstruer le passage et que je ne pourrais voir. J'assimile aussi la notion de l'orientation spatiale qui m'aide à circuler sans mes yeux. Je dois fournir de grands efforts de concentration puisque je m'y perds facilement entre le nord, le sud, l'est et l'ouest. Dès maintenant, il devient nécessaire que je puisse visualiser une carte dans ma tête afin de pouvoir me diriger exactement là où je veux me rendre.

Pour m'entraîner, Agathe me donne des directives précises. Ainsi, par exemple, je dois marcher cinq rues vers l'est, je dois traverser cette cinquième rue puis me diriger vers la deuxième rue au sud. À cet endroit, Agathe m'attend. Ce type d'exercice se trouve fréquemment au programme de mes cours de mobilité.

Je dois alors me concentrer et écouter la circulation

puisque je ne vois pas toujours les feux au coin des rues. Je dois également me concentrer sur mes calculs de rues et je dois faire attention aux obstacles que je croise sur ma route. C'est vraiment du sport !

Je suis toutefois bien satisfaite de moi-même et j'irais jusqu'à dire que je me surprends. Mon orgueil faisant surface parfois, je ne veux pas accepter l'aide des gens qui me rencontrent et qui m'offrent leur assistance. Je ne suis pas aveugle et je suis capable de me débrouiller par moi-même, un point c'est tout ! Agathe ne manque cependant pas l'occasion de m'expliquer qu'il n'y a rien de honteux à admettre que l'appui des autres peut être utile.

Évidemment, ma canne blanche n'est pas une raison qui me fait oublier ma coquetterie. Bien au contraire. J'ai tellement peur que les gens que je rencontre ne vois que ma canne que j'essaie toujours d'être sur mon trente-six pour détourner leur attention en espérant que je puisse encore exister à leurs yeux.

Je souhaite aussi de tout mon cœur que Michel continue d'être fière de sa femme. Il n'est pas rare que je porte une minijupe et des talons hauts lorsque je marche à ses côtés. Les personnes que nous croisons sur la rue semblent souvent sceptiques. Une aveugle ne peut pas être vêtue de cette manière, voyons… Michel me passe des commentaires sur le regard des autres et, au fond de moi, je ris de bon cœur.

Cette astuce de ma part me permet aussi de dédrama-
tiser le fait que j'arbore maintenant l'habit du non-
voyant : la canne blanche. Ainsi, un jour, pour me rendre
à mon cours de mobilité, je décide d'enfiler mon beau
« jump suit » rouge vif. Je me retrouve au centre-ville de
Montréal et je me concentre sur le bruit des automobiles
qui circulent près de moi, sur les chaînes de trottoir et sur
les obstacles. J'ai le cœur gros. Je prends à nouveau conscience de tous ces changements qui se bousculent dans
ma vie. Soudain, j'entends une voix masculine qui passe
près de moi :

— Hey Baby ! Veux-tu de l'aide ?

Wow ! Je n'en reviens pas ! Je me fais « flirter » même
si j'ai une canne blanche. Je peux donc encore être at-
trayante pour un pur étranger. Cet homme ne saura jamais
qu'il m'a apporté la plus belle forme d'aide qui puisse
exister. Il m'a prouvé que je peux encore être une femme,
une femme à part entière.

Les étapes se succèdent

Je ne peux le cacher, la rétinite pigmentaire ne me donne
pas beaucoup de répit. J'ai l'impression que chaque fois
que je suis vraiment en harmonie avec une nouvelle
dimension de ma vie de non-voyante, une autre étape
doit être franchie.

Il y a quelques semaines que j'ai terminé mes cours de mobilité. Même si la canne blanche me facilite la vie, aujourd'hui, elle me semble bien pénible à assumer cette foutue rétinite pigmentaire. Pour souligner le début de l'été, nous avons convenu, des amies du bureau et moi, de nous rendre à la Terrasse grecque pour partager un bon souper.

J'appréhende ce moment. Lorsque je me présenterai au restaurant, Ginette, ma grande amie, sera là. Les autres filles qui arriveront par la suite comprendront-elles vraiment ma situation ? Savent-elles exactement de quelle maladie je souffre ? Je croyais pourtant avoir traversé le seuil de ce sentiment de questionnement et d'anxiété. Je m'aperçois que je dois encore apprivoiser les douleurs morales qu'entraîne la rétinite pigmentaire.

La lecture du livre *Emma* m'est pénible. Ce n'est pas l'histoire qui en est la cause. Le contenu de ce récit de la belle relation qu'entretient la jeune fille prénommée Emma avec son chien-guide m'apaise plutôt et m'apporte un grand réconfort. Toutefois, même si l'écriture est plus foncée et plus grosse, je parviens difficilement à la voir. Mais, il n'est pas question que j'abandonne cette lecture. Pour ne pas inquiéter Michel, je me cache dans le sous-sol afin de continuer à éplucher ces pages. J'ai mal aux yeux, mais je continue. Avec cette belle histoire racontée dans ce bouquin, je réalise que tant que je pourrai me lever le matin et jouir de la vie, mon handicap ne me donnera jamais raison de me plaindre.

Emma aura été le dernier livre que j'aurai lu avec mes yeux.

Je vois mourir mes yeux. Je me sens souvent limitée et je souffre de devoir me restreindre à mes envies et à mes besoins de vivre. Ce qui est simple et banal pour une personne qui bénéficie de ses deux yeux devient difficile et complexe pour moi. Aller marcher pour prendre l'air, aller magasiner pour le simple plaisir de voir les nouveautés sont des activités qui me sont plus ardues à pratiquer. En fait, je ne ressens plus aucun agrément à même les envisager. Je suis prise au piège. J'essaie de garder le contrôle sur ma vie et de continuer à croire qu'il y a sûrement une raison pour laquelle j'ai été choisie pour vivre cette déficience visuelle. Chaque occasion qui me fait prendre conscience que ma vue diminue m'enlève tout espoir en mes capacités.

Ces tournants peuvent pourtant m'ouvrir les yeux. Non, ce n'est pas juste. Je veux me réaliser et j'arriverai bien un jour à connaître le plaisir relié à l'atteinte de cette satisfaction personnelle.

CHAPITRE QUATRE

Sensibiliser, toucher
et aider

*Les yeux de l'esprit ne commencent à être perçants
que quand ceux du corps commencent à baisser.*

PLATON

LORSQUE J'AI DÉCIDÉ de me prendre en mains, j'ai tenté de tout savoir et tout connaître au sujet de la rétinite pigmentaire. C'est de cette façon que j'ai appris qu'il existait une Fondation pour la recherche sur cette maladie.

Sans trop savoir dans quelle galère je débarque, je décide de foncer et de m'impliquer dans la Fondation RP pour la recherche sur les yeux. Je me rends rapidement compte que cet engagement de ma part me servira et m'aidera à vivre avec la rétinite pigmentaire.

Au sein de la Fondation RP, je rencontre des gens tout simplement fantastiques. Stanley Lipson, qui est le président de la Fondation du chapitre québécois, est un homme extraordinaire. Quel réconfort il m'est possible de trouver en sa compagnie. Il me fait voir la réalité de mon handicap et me fait constater qu'il y a toujours de pires situations que la nôtre. Stanley est lui-même non-voyant donc, toutes les étapes que je traverse, il les a connues avant moi. Il est apte à comprendre mes réactions et mes frustrations.

Stanley a appris à vivre avec sa cécité et il profite pleinement de son quotidien. Il me raconte qu'un de ses amis est atteint de la sclérose en plaques et qu'il est condamné au fauteuil roulant. Après avoir passé une fin de semaine en compagnie de cet ami, Stanley, sur le chemin du retour, a confié à sa femme : « Je me sens chanceux d'être seulement aveugle. »

En écoutant les sages propos de ce cher Stanley, je ressens vraiment le sens du bonheur et la quiétude de vivre en paix avec soi-même.

Par mon implication au sein de la Fondation RP pour la recherche sur les yeux, je suis amenée à voyager un peu partout à travers le Canada et le Québec. Les différentes activités que nous préparons et notre association avec la Fédération Moto-tourisme du Québec (FMTQ), nous permettent d'amasser des fonds qui, à l'échelle canadienne, se situent autour d'un million de dollars annuellement.

Le siège social de la Fondation RP a pignon sur rue à Toronto et les gens qui y travaillent sont rémunérés. Toutes les autres personnes impliquées dans la Fondation, peu importe leurs titres, sont des bénévoles. Pour ma part, de 1986 à 1993, j'occupe successivement les postes de relationniste, vice-présidente des relations publiques et présidente de la section du Québec.

Plus qu'un simple chèque...

La Fondation RP me fournit de nombreuses occasions de réaliser que la population peut faire preuve d'une grande empathie à l'égard des personnes non-voyantes et qu'elle peut se montrer très généreuse.

En ce 3 septembre 1986, je suis particulièrement fière de me présenter à la réunion des membres du comité de la Fondation RP. Quelques heures avant cette rencontre, l'opticien Richard Séguin avait tenu à me voir en compagnie du président et du vice-président du club Richelieu de Brossard. Ces messieurs avaient à me remettre un chèque de 1000 $, rien de moins.

Ils avaient décidé de faire un tel don à la Fondation à la suite de la causerie que je leur avais offerte au mois de juin précédent. Ce chèque était donc directement lié à mes propos et à ma présence auprès d'eux.

Je me présente alors à la fameuse réunion avec le chèque bien en mains. Je me sens comme si j'étais sur un nuage. Peu de mots peuvent décrire les sensations que je ressens dans tout mon corps. Assise à la table de la salle de conférence, j'entends mon cœur battre à tout rompre et je tremble. Je réussis finalement à prendre la parole :

— I'm very happy and proud...

Je répète au moins deux fois le mot « proud ». Ma voix chevrote et je dévoile enfin le montant du chèque. À mon annonce, les réactions ne se font attendre. Des

« ah » et des « oh » retentissent à la grandeur de la salle.
Je suis tellement heureuse !

À son tour, le président prend la parole et une pluie
d'éloges s'abat sur moi. Je me sens fiévreuse et rouge
comme un coq. Quelle sensation ! Je suis tellement fière
et heureuse d'apporter cette première contribution finan-
cière à la Fondation RP. Je suis consciente que je peux,
moi aussi, aider des personnes qui vivent une situation
similaire à la mienne.

Mon implication au sein de la Fondation et mon
action qui consiste à toucher les gens et à les sensibiliser
à la réalité des non-voyants me font oublier que je suis
moi-même atteinte de la rétinite pigmentaire. Je réalise
que plusieurs réponses me sont fournies sans que je m'en
rende compte. Une énergie incommensurable se dégage
de toutes ces rencontres que je fais et qui m'apportent
une douce sérénité. Il me semble que les gens me comprennent et ne voient plus en moi la personne handica-
pée. Il est fort à parier que ce sentiment est relié au fait
qu'à mes propres yeux, je ne suis plus une personne han-
dicapée. Avec la Fondation, je fais la preuve que je peux
encore être utile. Lorsque des personnes déficientes
visuelles viennent s'abreuver à mes paroles, je leur procure un sentiment de bien-être tel un baume sur leur
désespoir.

Je ne vois pas mieux, mais je me sens mieux.

Tournée des médias

Mon rôle de relationniste au sein de la Fondation m'amène évidemment à être présente dans plusieurs médias puisque c'est la meilleure façon de rejoindre la population.

Pendant plus de dix ans, je me promène dans les diverses stations de radio et de télévision du Québec et du Canada. C'est ainsi que, par exemple, j'ai l'opportunité de me rendre à CKOI, CJMS, CIBL, des stations de radio sises à Montréal. L'émission *Caméra 88*, diffusée au réseau de Télévision Quatre Saisons, me consacre un long reportage qui raconte toute mon histoire. Je participe aussi à des émissions du réseau TVA telles que *L'heure Juste*, animée par Jean-Luc Mongrain, *Claire Lamarche, le docteur Lapointe, Café Show*, les *Amuse-gueule, Salut Bonjour* et le *Match de la vie*. Je visite également les studios de Radio-Canada pour prendre part aux émissions les *Anges du matin* et *Christiane Charette*. Enfin, je fais aussi un détour par les studios de Radio-Québec pour l'enregistrement des émissions *Télé-service, Allô Prof* et *Les 100 watts*.

De la même façon, les médias écrits s'intéressent à mon expérience de vie. Lors de mes passages dans l'ouest canadien, des journaux publient des reportages me concernant. Des entrevues que j'accorde paraissent dans certains magazines québécois tels que *Le Lundi, Le goéland* et

Dernière Heure. Voici d'ailleurs un article paru dans le *Courrier de Saint-Hyacinthe*, en mai 1988.

ÉDITORIAL, par Stéphane Godbout

La beauté par la sérénité d'une femme

Saint-Hyacinthe, mai 1988 – Il y a une dizaine de jours, les représentants des médias de la région étaient convoqués pour une conférence de presse organisée par l'Association de moto-tourisme de Saint-Hyacinthe. Cette rencontre avait pour but de donner les grandes lignes d'une campagne de levée de fonds instituée par ce regroupement de motocyclistes pour aider à la recherche sur la rétinite pigmentaire.

Les membres de l'Association étaient là, sur place, dans l'un des salons d'un complexe hôtelier de la ville. Une personne ressortait du groupe. Il s'agit d'une jeune femme qui dégage une joie de vivre qui se fait contagieuse, une jeune femme radieuse, qui aime se mêler aux gens et qui suscite l'admiration par son esprit vif, son sens de l'humour et l'intelligence de ses propos.

Cette femme, c'est Lyse Veilleux, 31 ans, qui vit le drame de la rétinite pigmentaire depuis quelques années déjà. Il n'y a pas de cachette, la rétinite pigmentaire mène à la cécité totale. Mais l'espoir demeure : la recherche...

Lyse Veilleux a vécu la crainte, la peine et la révolte. Cela appartient au passé, dit-elle. Aujourd'hui, cette dame assume son handicap. Elle occupe le poste de vice-présidente des relations publiques pour la Fondation RP pour qui elle prononce des conférences et rencontre le public aux quatre coins de la province.

« La vie vaut la peine d'être vécue. La recherche peut venir à bout de cette maladie. Il ne faut pas désespérer. », lança-t-elle lors de son exposé.

Dans ce temps-là, nous nous trouvons un peu beaucoup ridicule avec nos élans de jalousie, nos préjugés, notre médisance et tous les petits bobos qui font de nous d'éternels plaignants.

Ce qui réconforte, c'est que la beauté intérieure et la sérénité des autres émeuvent toujours. Et quand le cœur est touché...

À chaque occasion, je rencontre des gens fantastiques. Les animateurs, les artisans des émissions de télévision et de radio ainsi que les journalistes m'accueillent chaleureusement. Leur qualité d'écoute m'apporte beaucoup de réconfort. C'est toujours avec le même grand plaisir que je relate mon histoire et que je mets toute l'énergie dont je dispose pour sensibiliser la population à la réalité quotidienne des non-voyants.

Chaque fois, j'en ressors grandie intérieurement.

Ces expériences médiatiques ont tôt fait de me donner le goût de humer encore plus régulièrement l'odeur d'un studio et de connaître l'ivresse que peut apporter un simple micro. Mon désir du perfectionnement m'incite à m'inscrire à des cours en communication à l'école Jacques Lepage.

À la suite de cette formation, je soumets un projet d'émission à la radio communautaire de Longueuil,

CHAA-MF. J'y rencontre les dirigeants et hop, je me retrouve derrière le micro à la barre d'une émission dans laquelle j'anime une chronique intitulée « *Écoute pour voir* ». Quel bonheur !

De 1989 à 1991, j'évolue à titre d'animatrice, de recherchiste et de productrice d'émissions sur différents sujets. Je rencontre et j'interviewe des personnalités de tous les milieux. Je prépare des dossiers, j'enregistre des séries de chroniques sur les voyages, la mode, les soins esthétiques. J'ai même l'occasion de réaliser une longue entrevue avec le comédien Yves Soutière qui fut un voisin d'enfance à Ville Lemoyne.

Tous ces moments qui me sont donnés de vivre me comblent de richesse intérieure. Chaque fois que je franchis la porte du petit studio de CHAA et que je m'assoie derrière le micro, je me sens transportée dans un autre univers.

Ces bons moments passés à la station de radio me permettent également de créer des liens d'amitié sincères et enrichissants puisque les personnes qui gravitent dans ce milieu partagent mes intérêts. Je me sens bien parmi eux et je sais que je peux faire ma place dans le monde des communications. Il s'agit donc d'une corde de plus à mon arc.

Les conférences

Non seulement mon implication au sein de la Fondation RP m'entraîne-t-elle à faire la tournée des médias, mais je dois aussi donner des conférences pour parler de cette maladie de l'œil. Je dois également expliquer l'importance d'amasser des fonds pour en arriver à trouver des moyens de ralentir le processus de la dégénérescence de la rétine et même de l'enrayer totalement.

Il y a déjà quelques années que la Fondation RP est associée aux motocyclistes. L'un d'eux a eu l'idée de participer à la levée de fonds de la Fondation alors qu'un de ses amis a été diagnostiqué de la rétinite pigmentaire. Le regroupement « *Ride for sight* » a d'abord vu le jour au niveau canadien. Par la suite, la Fédération Mototourisme du Québec s'est aussi impliquée dans la levée de fonds de la Fondation RP. Depuis, les motocyclistes représentent la principale source de financement de la Fondation RP.

Étant mise au courant de l'appui que témoignent les motocyclistes à la Fondation RP, je décide de mettre l'épaule à la roue et d'offrir mon témoignage aux membres des différents regroupements de motocyclistes. Je voyage donc à travers le Canada pour les rencontrer et leur expliquer encore plus clairement ce qu'est la rétinite pigmentaire et quelles sont ses conséquences sur la vie des personnes qui en sont atteintes. Je leur expose également les raisons qui justifient les efforts qu'ils fournissent

Granby, mars 1992 : Campagne de levée de fonds avec Lucien Francœur

pour amasser des fonds. De ce fait, il m'est permis d'assurer la longévité de leur implication.

Ces conférences me donnent une fois de plus l'opportunité de me dépasser. Disparue la petite Lyse timide qui n'osait pas toujours prendre la parole et s'affirmer. Je suis bien là, debout, devant de grands auditoires et je sens toute cette attention portée sur moi. Les commentaires de ces personnes, leurs poignées de main, leurs contacts chaleureux me donnent espoir et me poussent à poursuivre ma mission.

Je comprends mieux maintenant pourquoi il aura fallu que la rétinite pigmentaire se trouve sur ma route.

Un projet, une danse

Un appel téléphonique au début du mois de juillet 1993 donne un coup d'envoi à un nouveau projet. François Campeau, mon conseiller en main-d'œuvre à l'Institut national canadien pour les aveugles, me raconte alors qu'une chorégraphe nommée Andrée Dumouchel est à la recherche de personnes non-voyantes dans le but de monter un spectacle de danse. François sait que, dans ma jeunesse ainsi que quelques années plus tard, j'ai pratiqué le ballet classique et le ballet jazz. Il m'explique que cette dame Dumouchel s'intéresse de près à la façon dont les personnes handicapées visuelles se meuvent et parviennent à sentir leurs corps.

Je ne peux nier que ce projet de danse pique ma curiosité et je décide de rencontrer madame Dumouchel. Deux autres personnes atteintes de cécité sont également présentes lors de ce premier entretien. Andrée s'intéresse particulièrement à l'aspect kinesthésique de la danse. Elle nous explique alors comment elle aspire à aider les personnes non-voyantes à mieux sentir les mouvements de leurs corps.

Enchantées par ce projet, nous décidons donc d'unir nos efforts pour le mener à bien. Comme nous ne sommes pas en mesure d'apprendre les mouvements de la chorégraphie par imitation puisque nous ne voyons pas, Andrée doit nous décrire les gestes que nous visualisons dans notre tête et que nous reproduisons. De plus, afin de bien nous faire sentir les mouvements à exécuter, elle touche et dispose les membres de notre corps comme ils doivent être placés. J'apprends alors à découvrir mon corps par le toucher et par la description des mouvements. C'est à ce moment que la visualisation prend tout son sens. De plus, par ce que je ressens alors, je suis capable de me positionner physiquement dans le cadre qu'Andrée a élaboré. C'est la première fois que je vis une sensation semblable et j'en suis très heureuse.

Au fil de nos rencontres et de nos expériences, nous élaborons un ébauche de spectacle qui sera produit par *Quatuor en tête*, une compagnie dirigée par Michel Provencher, un excellent guitariste, lui-même handicapé, il se déplace en fauteuil roulant. Michel a préalablement approché Andrée puisqu'il désirait apporter une facette différente aux représentations musicales qu'il offrait. Donc, en plus de produire le spectacle de danse, il pourrait assurer la partie musicale.

C'est dans cette optique que nous nous mettons à l'œuvre et que nous ne ménageons pas nos efforts pour monter un spectacle à cinq tableaux. Dans ces cinq danses, nous exprimons différentes sensations que le corps peut ressentir. Ces mouvements vont au-delà de la danse telle qu'on l'imagine traditionnellement. Il s'agit davantage d'expression corporelle, ce qu'il est aussi convenu d'appeler la danse contemporaine.

En compagnie d'Andrée, nous nous rencontrons quelques fois par semaine pour travailler à la mise en place du spectacle et à son peaufinage. Chacune de nous y met tout son cœur pour parvenir à présenter un produit dont nous espérons être totalement satisfaites.

En ce 17 décembre 1994, je vis un rêve. En compagnie de mes deux collègues, je présente un spectacle sur la scène du théâtre du Gesù, à Montréal. Je sens l'adrénaline circuler dans mes veines. La salle, d'une capacité d'environ 500 sièges, est pleine à craquer. Avant d'entrer sur scène, je n'entends que les murmures de la foule et je suis bien.

Soucieuse de respecter notre personnalité propre, Andrée nous avait proposé de préparer chacune un solo que nous danserions en même temps sur la scène.

Comme je savais que le spectacle aurait lieu seulement quelques jours avant la belle fête de Noël, j'ai décidé de représenter, par mes mouvements, une petite fille
qui se réveille et qui se rend au pied de l'arbre pour en
terminer la décoration. Ce personnage se veut, en quelque sorte, une petite poupée qui bouge et qui exprime à
la fois l'émotion et la candeur que l'on ressent le matin
de Noël.

Pendant que je m'exécute sur la scène, je sens les
regards me pénétrer. Je vis au maximum chaque moment
de cette frénésie qui m'est offerte.

*Je suis fière et je constate, encore une fois que, si je sais
prendre les moyens pour arriver à mes fins, mon handicap ne
m'empêchera jamais de réaliser mes ambitions.*

Les applaudissements qui fusent à la fin du spectacle
nous prouvent que nous avons réussi à toucher et à sensibiliser le public à notre cause.

Je suis heureuse parce que le défi est relevé et de belle
façon. J'utilise le mot défi parce que nous avons dû apprendre à nous déplacer sur la scène sans nous heurter,
sans nous approcher trop près des projecteurs pour ne pas
nous brûler et sans franchir une limite qui nous aurait
fait basculer à l'extérieur de la scène. Oui, nous avons
raison d'être fières !

Le succès de ce premier spectacle nous permet d'en-
trevoir certaines suites. C'est ainsi que du mois de
décembre 1994 au mois de mai 1995, nous poursuivons

notre entraînement à un rythme de 20 heures par semaine afin d'améliorer, de retoucher et de pratiquer à nouveau tous les tableaux de notre spectacle.

C'est dans le cadre de la semaine nationale d'intégration des personnes handicapées (SNIPH), en mai 1995, que nous avons finalement l'occasion d'offrir une deuxième représentation de « Un hymne à la différence ». Cette fois, nous nous produisons au Spectrum de Montréal devant une salle pouvant accueillir près de 1000 personnes. C'est l'euphorie !

Il est indéniable que l'expérience que m'apporte tout cet apprentissage entourant la danse et les mouvements de mon corps me permettent encore plus d'apprivoiser et d'intégrer ma situation de non-voyante. La sensualité et la sensibilité que j'y découvre font de moi une personne encore plus complète, plus équilibrée et plus sereine.

La Fondation RP, les conférences, les différents médias et la danse, voilà ce que devient mon univers. Plus les jours s'écoulent et plus je réalise que mon destin est bien tracé.

Je ne m'inquiète plus du lendemain parce que je sais que devant, il y aura toujours un nouveau défi, une nouvelle aventure pour me permettre de croquer à belles dents dans cette vie qui est la mienne.

CHAPITRE CINQ

Mes amoureux, mes amis et Tékila !

Il y a des yeux grands ouverts
au secret des yeux fermés.

YVES BONNEFOY

S'IL ME FAUT personnellement faire preuve d'une grande patience et d'une bonne écoute intérieure pour m'adapter à la rétinite pigmentaire, je n'ai pas de difficulté à imaginer ce que cette situation doit représenter pour l'homme qui évolue à mes côtés. Je me sens choyée parce que Michel se montre extrêmement attentionné à mon endroit. Il y a maintenant un an et demi que cette maladie est venue heurter le bonheur paisible que nous vivions depuis notre mariage. Même si Michel est un homme merveilleux et qu'il fournit toute l'énergie qu'il lui est possible pour s'adapter aux consé-quences que la rétinite pigmentaire entraîne dans notre vie, j'ai peur. J'ai peur que la réalité finisse par nous rattraper et mette un terme à ce bonheur.

Cette fin de semaine de juillet 1986 est consacrée à la célébration de notre 8e anniversaire de mariage. L'ac-tion ne manque pas, le samedi soir, au centre-ville de

Montréal! Michel et moi décidons d'abord de nous arrêter dans un petit bistro. Quel endroit romantique! Nous échangeons sur la vie, nos amis, nos familles et bien sûr, nous nous rappelons de bons et tendres souvenirs.

Le repas terminé, nous choisissons de nous balader sur la rue Sainte-Catherine, puis sur la rue Crescent. Nous nous installons finalement à la terrasse de l'hôtel de la Montagne pour siroter un petit digestif. Nous profitons pleinement de ce doux moment qu'il nous est offert pour partager notre amour. Malgré le fait que la vie ne nous ait pas épargnés au cours des derniers temps, nous pouvons encore être bien ensemble, sans trop nous soucier de l'avenir.

Aujourd'hui, dimanche, le soleil nous fait un clin d'œil comme s'il voulait, lui aussi, faire partie de ce petit week-end d'anniversaire. C'est donc sous ses chauds rayons que Michel et moi enfourchons notre tandem pour nous rendre au Parc régional de Longueuil, situé à quelque cinq kilomètres de notre résidence. Quel sentiment de bien-être et de quiétude nous ressentons tout en roulant vers ce centre de plein air!

Michel prend bien soin de me décrire tous les paysages qui se trouvent sur notre route. Il me détaille aussi le décor du centre de plein air. J'apprends alors qu'il y a, au milieu de cet endroit pittoresque, trois petits lacs surmontés par de mignons ponts faits de bois. Nous ne pouvons résister à l'envie de les traverser plus d'une fois!

Après deux heures de ballade dans le décor enchanteur du Parc régional, Michel suggère enfin que ·nous nous reposions près de l'un des charmants lacs. Je m'assois sur une grosse roche et je laisse mes pieds effleurer l'eau tout doucement. Je suis si bien ! Michel est à mes côtés et nous nous amusons à jeter des cailloux à l'eau. De vrais enfants ! Plus d'une demi heure s'écoule ainsi, sans que nous en prenions conscience tellement le bonheur que nous touchons est intense. Tout en lançant mes cailloux, j'implore Michel de m'amener à nouveau dans ce merveilleux endroit avant la fin de l'été.

Puisque nous recevons des amis pour le souper, nous devons revenir les deux pieds sur terre et songer à retourner à la maison. C'est à regret que nous quittons finalement ces trois petits lacs et leurs jolis ponts. Le temps d'un après-midi, ils nous auront transportés dans un rêve que l'on voudrait pourtant réalité…

Sur le chemin du retour, nous décidons d'arrêter au dépanneur pour nous acheter des popsicles. Comme nous le faisions au temps de notre jeunesse, nous improvisons un concours à savoir lequel de nous deux réussira à manger son popsicle sans qu'il ne se sépare. Nous rions de bon cœur !

Le fait de vivre avec une déficience ne m'enlève pas l'opportunité de connaître des moments remplis de sérénité. Il n'est pas toujours facile de vivre avec la rétinite pigmentaire, mais je remercie le Ciel d'avoir mis sur ma route un aussi bon mari. Je suis consciente qu'il peut être ardu pour lui de comprendre mes différences visuelles. Lorsqu'il lui arrive parfois de s'impatienter et de me servir des commentaires désobligeants et blessants, j'essaie de passer l'éponge.

Ces situations, je les remarque plus particulièrement quand arrive la préparation des repas. Je veux me prouver à moi-même que je suis encore capable de vaquer à mes occupations culinaires. Minutieux et perfectionniste, Michel rôde alors autour de moi, ce qui a pour effet de provoquer quelques maladresses de ma part. À ce moment précis, la marmite saute et je me retrouve avec une salade de critiques en plein visage ! Cela se termine souvent par une sortie côté salon alors que Michel répare les pots cassés. Nous en venons toujours à un consensus, mais à quel prix ! Il va sans dire que ce n'est pas toujours l'entente parfaite dans ce domaine. Je tente de prendre mon mal en patience et de me montrer compréhensive avec Michel. Je me rends compte, toutefois, que la rétinite commence à prendre beaucoup de place entre nous deux et je ne suis pas toujours certaine qu'elle ne viendra pas, un jour ou l'autre, nous séparer...

Juin 1988. Malgré l'amour, malgré tous nos efforts pour parvenir à nous comprendre et à nous adapter aux différences qu'apporte la rétinite, malgré nous, nous devons baisser les bras. Je ne peux demander à Michel de vivre avec une femme que le destin a changée, avec une femme qui n'est plus tout à fait celle qu'il a épousée.

Je prends mon baluchon et je m'en vais me réfugier chez une amie, le temps d'absorber le choc de cette séparation avant de m'établir dans un appartement que j'habiterai seule, sans mari.

Je pourrais presque dire que je quitte Michel par amour. Je pense qu'il en est de même pour lui. Nous ne pouvons nous empêcher mutuellement d'exister et d'évoluer. Michel est devenu trop protecteur à mon endroit et, de mon côté, je l'oblige à vivre des situations dans lesquelles il ne se sent vraisemblablement pas à l'aise. Nous devons donc faire face à la réalité. C'est comme si nos chemins devaient se séparer sans que nous ne puissions rien y changer.

Malgré les années, je ne l'oublie pas. Il est toujours là, quelque part dans ma tête, quelque part dans mon cœur. Je revois encore ses yeux d'un bleu si pur qu'ils m'en faisaient frissonner. Michel aura été mon premier mari, celui auquel on demeure toujours un peu uni, tout au long d'une vie...

D'autres amours

En ce matin du 3 juillet 1990, j'ai respiré, goûté et touché son corps pour la dernière fois comme si la mort de cet être que j'aime surviendrait soudain. Il me faut, une autre fois, tourner la page car la douleur et la souffrance de cet amour me tuent. La vie future à laquelle je voyais tant de possibilités s'est envolée comme la poussière. Je dois oublier cet homme qui aurait pu me faire vivre une nouvelle histoire d'amour. Demain pourrait être semblable à hier, mais il n'est plus et ne reviendra plus.

C'est le troisième Noël que je vis sans partenaire et c'est le premier où je n'ai pas envie de verser des larmes. Serait-ce que j'ai fait mes deuils... À la sortie de l'église, une belle petite neige folle nous enveloppe d'une atmosphère féerique et apaisante. Que c'est beau ! Au fond de moi, je suis convaincue qu'à Noël prochain, je serai au bras d'un amoureux. En fait, j'envisage 1991 avec beaucoup d'optimisme et d'envie de vivre. Il m'arrive même de croire encore à des fiançailles à la messe de minuit, à un enfant qui serait la chair de ma chair fécondée avec l'être cher. J'imagine un scénario de vie qui pourrait se produire au « tournage » de la nouvelle année en confiant le rôle principal à l'acteur qui me donnerait la réplique dans une pièce remplie d'amour pur.

Le jour tombe sur ce vendredi 28 décembre 1990. Je décide de descendre à la salle de lavage de l'immeuble à appartements où j'habite, tout près du métro Longueuil. Je suis accoudée près de l'évier et des souvenirs défilent devant mes yeux. Je pense à Michel H., cet homme de qui je suis tombée amoureuse, à n'en plus voir clair, à la suite de ma séparation de Michel Veilleux. Habite-t-il encore dans cet immeuble? Il y a longtemps que je l'ai rencontré. Je suis tellement absorbée par mes pensées que je n'entends à peu près pas la personne qui vient de faire son entrée dans la salle de lavage. Mes yeux flous jettent un regard sur l'homme qui est près de moi. Je me dis qu'il semble très beau, je souris et je baisse les yeux. Puis, cet homme s'adresse à moi:

— Tu as passé un beau Noël?

Machinalement, je réponds:

— Oui, merci.

Cet homme veut me faire la conversation, que je me dis.

— Tu ne me reconnais pas? insiste-t-il.

Je suis sidérée. Michel H! Il est bien là, devant moi. Je suis à la fois surprise et bouleversée. Dans ma tête, je n'entends que «Michel, Michel, Michel». Je l'aime encore, mais je sais que nous avons essayé de construire une vie à deux sans réussir. Il est donc inutile de continuer à rêver. Pourtant... Il me prend dans ses bras. Comme je suis bien ! Des larmes de bonheur coulent sur mes joues, je l'enlace. Nous restons ainsi pendant plusieurs minutes, dans une salle de lavage, seuls au monde.

Ces retrouvailles donnent finalement lieu à un nouveau projet de vie à deux. En septembre 1991, nous nous installons donc, Michel et moi, dans un condominium que nous avons choisi ensemble, également situé près du métro Longueuil.

Huit mois ont suffi pour que mes beaux rêves s'envolent encore en fumée. Michel et moi convenons de nous laisser pour tenter de nous épanouir chacun de notre côté. Mon cœur demeure brisé et je me demande si la rétinite pigmentaire ne s'est pas, une fois de plus, mêlée de ma vie amoureuse.

✑

Je fais la connaissance de Paul P. alors que je me trouve à Toronto, le 13 juin 1992. C'est dans le cadre du week-end *Ride for sight* que nous avons l'occasion de bavarder et de sentir, entre nous, des atomes crochus. C'est fantastique. Je ne cherche pas, et je trouve.

Paul habite à Toronto et la distance devient très lourde à supporter. Chaque fois qu'il vient me rendre visite à Longueuil, j'ai de la difficulté à me détacher lorsque sonne l'heure du départ.

Notre amour a finalement raison des kilomètres qui séparent Longueuil de Toronto et nous nous marions le vendredi, 13 août 1993, à Mississauga en Ontario.

Paul déménage ses pénates à Longueuil et nous commençons une vie conjugale qui ne nous apportera jamais vraiment satisfaction. Je pensais avoir découvert un homme davantage mature que ceux que j'avais connus dans mes autres relations puisque Paul est de treize ans mon aîné. Pourtant, il ne parvient pas toujours à répondre à mes attentes. Je crois percevoir qu'il éprouve de la difficulté à s'adapter à la culture québécoise, qui n'est pas la sienne. Notre divorce est finalement prononcé en octobre 1997, près de deux ans après que nous ayons convenu qu'il serait préférable pour Paul de reprendre le chemin vers Toronto.

Mes amis, ma famille

Parfois, lorsque la vie nous blesse et nous marque, nous avons l'opportunité de découvrir qui sont nos vrais amis. C'est cette réalité que je connais depuis que je vis avec la rétinite pigmentaire. Un peu comme tout le monde, je n'ai pas beaucoup de vrais amis. Je n'ai besoin que d'une main pour les dénombrer. Mais ceux que je considère comme étant mes amis, ce sont des vrais !

Quand je pense à l'amitié pure, je me souviens de Ginette Pilon qui a été à mes côtés dès que j'ai appris que j'étais atteinte de la rétinite pigmentaire. Ginette m'a toujours aidée et supportée. J'ai tenté de la soutenir le plus possible quand, à son tour, elle fut surprise par la maladie. Ce maudit cancer l'a finalement arrachée à son mari, à son enfant et à ses amis. Elle nous manque à tous et son départ laisse un grand vide qu'il nous est impossible de combler.

Quand je pense à l'amitié pure, je songe aussi à Johanne Lussier que j'ai connue à l'époque où je travaillais chez Domtar. Johanne a toujours été présente et attentionnée à mon endroit. Les années et les chemins différents que nous avons pris n'ont rien changé à cette amitié que je considère très profonde.

Dans mon cercle d'amis, il y a aussi Hélène Belzile. Nous nous sommes connues, elle et moi, à la station de radio communautaire de Longueuil. Cette amitié a débuté en 1989 et depuis, elle ne cesse de nous enrichir mutuellement. Hélène fait partie des mes fidèles amis et j'en suis très heureuse.

Parmi mes amis, je compte aussi les membres de ma famille. Au fil des jours et des ans, ma mère représente vraiment l'amour inconditionnel. Je me sens privilégiée d'entretenir avec elle un rapport aussi profond. Émilie, ma mère, est pour moi un symbole de fidélité et de disponibilité. Lorsque j'ai besoin d'aide, d'écoute et de support, je sais qu'elle est toujours là.

*1995, Hélène de Champlain — 40ᵉ anniversaire de mariage de mes parents :
Lyse, Louise, Jean, Gilles, Sylvie, Émilie et Donat*

Il en va de même pour mon père, Donat. Je pourrais qualifier sa disponibilité de discrète et de tranquille. Il évolue davantage dans l'ombre. Jamais il ne porte de jugement, ce qui rend sa présence sécurisante et rassurante. Mon père, c'est un bon papa qui est bien lorsque ses enfants sont heureux.

Jean, l'aîné de mes deux frères, est celui qui protège physiquement sa petite sœur. Du haut de ses six pieds, il m'est souvent venu en aide lorsque certaines personnes malveillantes voulaient m'importuner. Et combien de fois sa force m'a été utile lors de mes déménagements ! Jean, lui aussi, est toujours là quand j'en ai besoin.

Étant mon cadet de sept ans, Gilles, mon petit frère qui m'appelle aussi sa petite sœur, est un être très précieux dans ma vie. Gilles, c'est celui que j'ai bercé et que j'ai promené dans mon carrosse de poupée. C'est celui avec lequel j'ai grandi. Son tempérament doux et sensible me convie souvent à me laisser aller à certaines confidences. Plusieurs affinités de caractère nous unissent.

Le 16 octobre 1997, Gilles et son épouse, Sylvie, ont donné à ma famille le plus beau cadeau qui soit, une petite fille. Depuis qu'Emmanuelle a vu le jour, je ne me sens plus tout à fait la même. Je suis une tante un peu gâteau, pour ne pas dire « gaga » et chaque fois que ce petit paquet d'amour se retrouve dans mes bras, j'ai l'impression que le temps s'arrête et que je vis un rêve inexplicable.

Je me sens réellement choyée d'être née sous une aussi bonne étoile, entourée de l'amour d'une famille unie. Un bel équilibre règne au sein de ce noyau qui représente pour moi un pilier sur lequel je peux toujours m'appuyer. Les membres de ma famille jouent un rôle très important dans mon acceptation de la rétinite pigmentaire et dans mon évolution. Auprès d'eux, je retrouve la stabilité, la tendresse, l'écoute, la compréhension et l'amour dont j'ai besoin pour continuer à m'épanouir.

Lyse et Emmanuelle à huit mois « le trésor de la famille »

Tékila débarque dans ma vie !

Comme je l'ai raconté un peu plus tôt, en 1986, j'avais fait une demande auprès de la Fondation Mira pour avoir l'obtention d'un chien-guide. Ma candidature avait finalement été rejetée parce que ma trop grande capacité visuelle aurait pu nuire au travail du chien.

Cette idée continue toutefois de germer en moi, même si je ne peux cacher ma crainte des chiens. Depuis que Paul est entré dans ma vie, en 1992, il tente par tous les moyens de me faire apprivoiser les chiens. Lors de certaines promotions de la Fondation Mira, nous rencontrons des personnes qui possèdent des chiens-guide et je discute avec elles. Je me permets même de caresser les chiens. Puis, je fais la connaisse de Michel M., un homme non-voyant et de son chien-guide. Michel me propose d'aller le rencontrer chez lui, à Sorel, afin de constater moi-même de quelque façon le chien se comporte à la maison. Je m'y rends et, en entrant chez Michel, j'ai un choc ! Ce chien est énorme ! Du moins, il le paraît davantage dans une maison qu'au kiosque de Mira où je l'avais vu la première fois. Avec toute sa gentillesse, Michel me donne la possibilité d'essayer de me promener avec le chien et son harnais. Tranquillement, je réalise que ces chiens-guide sont de gros « toutous » qui peuvent être bien utiles. Je prends également conscience que je n'ai rien à craindre d'eux puisqu'ils ne demandent qu'à être aimés.

Mon appréhension disparue, je décide de sauter à pieds joints dans l'aventure. A l'été 1994, je présente donc une nouvelle demande à la Fondation Mira. Cette fois, je réponds aux critères de sélection et mon nom est placé sur une liste d'attente.

Huit mois passent avant de recevoir le fameux appel que j'attends si impatiemment. Ça y est, je peux faire mon entrée à l'école de formation de Mira où on m'apprendra à fonctionner avec un chien-guide. Si je suis chanceuse et que tout se passe bien, dans quelques semaines, je reviendrai à la maison avec un des ces « toutous » qui changent la vie. Qui changent la vie en me faisant également prendre conscience que le chien-guide représente le dernier outil qui confirme que j'ai atteint un point de non-retour, que plus jamais je ne verrai. Des larmes mêlées d'anticipation et d'espoir coulent sur mes joues.

Une petite voix intérieure me souffle de foncer dans ce nouveau défi qui m'amènera à un autre dépassement.

C'est donc le 13 mars 1995 que je prends la route de Sainte-Madeleine, à quelques kilomètres de Saint-Hyacinthe. Pendant une période de 26 jours, je vivrai retirée de tout ce qui fait partie de mon quotidien. En compagnie de cinq autres personnes qui sont là pour les mêmes raisons que moi, je me familiarise avec l'environnement. Pour ce faire, j'utilise la canne blanche. Les entraîneurs sont également à nos côtés pour nous aider.

Trois jours après le début de la formation, arrive enfin le moment tant attendu où un chien nous est personnellement assigné. C'est alors que les cages sont ouvertes et qu'une quinzaine de chiens courent jusqu'à nous. Dans certains cas, il semble qu'une attirance naturelle entre le chien et la personne soit possible. Donc, les entraîneurs laissent les chiens tenter de séduire leurs futurs maîtres.

En sentant cette bande de chiens accourir à mes pieds, je ne peux faire autrement que de me dire que c'est à ce moment bien précis que ça passe ou que ça casse. Si je suis en mesure, à cet instant, de maîtriser ma crainte des chiens, je suis certaine que plus jamais je n'éprouverai d'appréhension en présence de ces bêtes. Mon cœur bat fort et vite. Je constate qu'autour de moi, personne ne semble nerveux. Je tente alors l'impossible pour me calmer afin de reprendre le contrôle de la situation.

Malgré ma bonne volonté, je trouve que ces chiens sont gros et qu'ils déplacent beaucoup d'air! Je devrai bien m'y habituer, que je me dis…

Finalement, les entraîneurs gardent avec nous six chiens et font entrer les autres dans la cage. Pendant quelques minutes, à tour de rôles, nous essayons les chiens en marchant dans les environs. Cette première expérience n'est pas vraiment concluante dans mon cas. Heureusement, parmi le groupe de non-voyants, il y a un homme, Michel V., avec lequel je me lie d'amitié et qui m'aide beaucoup dans mon apprivoisement des chiens. Il m'aide alors à garder confiance.

Tout au cours de la première semaine de cette formation, je continue à me promener avec différents chiens.
Je m'habitue tranquillement au comportement que l'on
doit adopter avec un chien-guide : assis, couche, reste.
Nous suivons également une formation dans un aména-
gement de trottoirs et de rues, conçu à l'école de Sainte-
Madeleine, afin de nous apprendre à nous déplacer avec
le chien et à maîtriser le langage que nous devons utiliser
tel que « a » pour gauche et « gi » pour droite. En fait, il
s'agit du même langage dont on se sert pour conduire les
chevaux.

Puis un beau jour, durant cette première semaine, les
entraîneurs semblent d'accord sur le fait que Ouzo et
moi, nous pourrions faire une très belle équipe. Personnellement, je ne me sens pas à l'aise avec cette chienne,
mais je me dis qu'ils ont plus d'expérience que moi dans
ce domaine. Je commence donc à m'entraîner sérieusement avec Ouzo. Certains jours, ça va bien, d'autres, pas
du tout. Je regarde l'évolution de Michel en compagnie
de son chien, Gin et il me semble que tout va pour le
mieux pour eux. Je confie mes difficultés à Michel en lui
expliquant que je trouve cet apprentissage très laborieux
et que je ne suis pas toujours certaine que les entraîneurs
saisissent bien dans quel état je suis.

Pendant dix jours, je poursuis mon entraînement
avec Ouzo. Plus le temps avance, plus je suis découragée.
Rien ne fonctionne et j'ai souvent le goût de pleurer. Je
me remets en question en pensant que c'est peut-être

moi qui ne possède pas la capacité de m'adapter à un chien-guide.

Puis, la tempête éclate. Je suis assise dans le chenil et je sanglote. Pendant que les autres personnes continuent leur formation, je tente d'expliquer aux entraîneurs que je ne peux plus continuer de cette façon. Rien ne fonctionne avec Ouzo et je ne sais plus quoi penser.

Les entraîneurs me répondent finalement que durant leur dîner, ils tenteront de trouver une solution à mon problème et viendront m'en parler par la suite. Je retourne dans ma chambre pour me calmer et me reposer. Moins d'une heure plus tard, un entraîneur vient me voir.

— Lyse, nous allons essayer de t'entraîner avec un autre chien.

— Je suis bien prête à me donner une seconde chance, lui réponds-je, mais si rien ne fonctionne à nouveau, je repars avec mes valises et on ne sera pas plus mauvais amis pour autant.

— Ça va! dit-elle. Maintenant, quel est le chien, selon toi, qui t'ira le mieux?

— Je ne le sais pas, dis-je sur un ton désespéré.

— Nous allons te donner Tékila.

— Tékila? Ce nom ne me dit rien. Je crois même ne l'avoir jamais rencontrée.

— Elle est la sœur d'Ouzo. Nous avons l'impression que tu t'entendras mieux avec elle. Je vais aller la chercher.

Quelques instants plus tard, la porte de ma chambre s'ouvre et Tékila entre. Elle vient s'asseoir près de moi et pose sa patte sur ma cuisse.

Je la regarde et je sens en moi un grand sentiment de bien-être. Oui, c'est elle. C'est mon chien-guide, je le sais, je le sens.

L'entraîneur nous laisse alors seules pour que nous fassions connaissance. Je la flatte, je la caresse. Je la sens toute douce, tout attentive.

Nous poursuivons donc l'entraînement, Tékila et moi. Je perçois sa sensibilité et aussi son manque de confiance. L'entraîneur me dit alors que je dois la rassurer, lui manifester mon appréciation lorsqu'elle se comporte de la bonne façon. Je fais tout le nécessaire pour que Tékila se sente bien avec moi. Je veux tellement que cette fois-ci soit la bonne.

Durant la deuxième semaine, nous nous rendons à Saint-Hyacinthe pour entreprendre un entraînement spécifique à un endroit qui nous est complètement étranger. Je me remémore ce que j'ai vécu durant mes cours de mobilité. Toutefois, je ne me déplace pas avec une canne blanche, mais bien avec un chien-guide, qui plus est, mon chien-guide !

En plus d'apprendre à parcourir des distances avec Tékila, je dois m'habituer à la réprimander lorsqu'elle ne travaille pas bien. Ce n'est pas une mince tâche, puisque cette chienne est tellement douce et sensible que j'ai de la difficulté à la chicaner. Je comprends par contre que si je veux qu'elle continue d'être un bon chien-guide, je dois me montrer relativement sévère.

Durant la troisième semaine de la formation, nous nous rendons à Montréal pour circuler à travers les grosses artères de la ville telles que les rues Sainte-Catherine, Peel, Mont-Royal, etc. Nous poursuivons l'entraînement dans de rigoureuses conditions climatiques. Il n'est pas rare que nous devions composer avec les caprices de dame nature : neige, pluie, froid, vent, etc. Même si nous devons travailler fort pour nous adapter à tous ces changements, tout se déroule très bien entre Tékila et moi.

La formation terminée, nous rentrons finalement à la maison. Je fais tout le nécessaire pour que Tékila se sente chez elle et je remercie le ciel de connaître le bonheur et la joie que ce « toutou » m'apporte.

Le premier rôle de Tékila est de remplacer mes yeux. Toutefois, elle est bien plus. Elle représente pour moi la sécurité, la fidélité, la force. Elle me permet également de jouir d'une plus grande autonomie. Tékila est un peu comme l'enfant que je n'ai pas eu. De par la complicité que nous avons établie toutes les deux, elle est devenue une partie de moi. Je lui exprime toute ma reconnaissance en lui donnant soins et amour, car en retour, elle me donne ce qu'elle a de mieux. Je ne pourrais plus vivre sans elle.

Lyse et Tékila

Une nouvelle expérience

À peine quelques semaines ont passé depuis que Tékila fait partie de ma vie lorsque François Campeau de l'Institut national canadien pour les aveugles m'approche pour un nouveau projet qui voit le jour au Musée juste pour rire. En effet, les dirigeants du musée ont décidé de mettre sur pied une exposition qui s'intitule « Dialogue dans le noir » et qui a pour but de démontrer aux personnes voyantes la réalité des personnes non-voyantes. Pour réaliser ce projet, ils doivent engager des accompagnateurs non-voyants qui feront parcourir le trajet de l'exposition aux personnes voyantes puisque le tout se déroulera dans le noir le plus complet. Pas une lueur servira à orienter les visiteurs.

Le projet m'intéresse et je pose ma candidature à titre d'accompagnatrice. Je suis finalement sélectionnée et je débute cette nouvelle aventure en mai 1995. Pendant un an et demi, je rencontre plusieurs milliers de personnes et je vis des expériences uniques. Bien sûr, régulièrement des fous rires se font entendre lors de l'heure que dure une tournée de l'exposition. Je me rends compte à quel point les personnes voyantes ne savent pas toujours se servir de tous leurs sens.

Je participe aussi à des soupers dans le noir où les gens mangent, encore une fois, dans la noirceur totale. Nous, les accompagnateurs, nous assurons le service aux tables. Évidemment, plusieurs convives sortent de ces soupers avec quelques taches sur leurs vêtements. Ça fait partie du jeu…

Je retire une grande satisfaction de ce que je vis au Musée juste pour rire. Par mon vécu quotidien, je peux faire réaliser aux gens l'importance d'écouter plutôt que de simplement entendre. En visitant « Dialogue dans le noir », ils prennent également conscience de la chance qu'ils ont de pouvoir regarder et voir avec leurs deux yeux. C'est peut-être là la plus belle réussite de cette exposition. Je suis heureuse de partager ma joie de vivre et mon sens de l'humour avec les personnes qui me côtoient, ne serait-ce que durant la petite heure où je les accompagne. Si, par ces moments, je peux leur permettre d'ouvrir leurs yeux sur les beautés de la vie, je pense alors qu'à mon tour, j'aurai obtenu ma plus belle réussite…

CHAPITRE SIX

Au tournant de mes quarante ans

Le sourire est à la beauté
ce que les fleurs sont au printemps.

ANONYME

*D*ÉCEMBRE 1996. Ce mois-ci, je franchis une importante étape dans ma vie. J'atteins le cap des quarante ans. Il me semble que ces quarante premières années se sont trop vite écoulées. Je réalise que j'ai probablement déjà goûté à la moitié de ma vie. Par contre, au fond de moi, je ne peux faire autrement que de me sentir gâtée et choyée. Dans mon attitude et dans ma vision de la vie, je me rends compte que, malgré tout, le chemin de mon existence a été beau et rempli d'espérance.

Je me dis, qu'à quarante ans, il est possible que cette vie soit encore plus belle et encore plus rose. Cette année et pour toutes les années à venir, je veux voir davantage la vie en rose. C'est pour toutes ces raisons que j'ai décidé de m'offrir un beau cadeau en vivant pleinement ce moment qui m'appartient et que je souhaite souligner de façon mémorable.

INVITATION

Lorsqu'une occasion spéciale se présente, il va de soi de vouloir être entourée de personnes spéciales.

Le vendredi 13 décembre prochain, je fêterai mes 40 ans et votre présence, autour d'un bon repas, m'apporterait beaucoup de joie et confirmerait l'amitié et les sentiments que nous partageons.

On dit que la vie commence à 40 ans et je veux donc débuter cette étape en rose. Pas de cadeau à apporter, mais pour aller de paire avec le thème, je vous demande que deux roses naturelles par personne accompagnent votre présence.

Le restaurant choisi est situé sur la rive-sud, à Saint-Lambert. Il s'agit de La Crêperie, au 579 Notre-Dame, coin Webster. Vous y êtes conviés pour 19 h 30.

Veuillez me confirmer votre présence avant le 6 décembre. Merci et au plaisir de vous revoir bientôt.

LYSE VEILLEUX

Je me mets donc à la confection d'invitations sur du papier rose. Je fais une sélection des personnes qui me sont chères et avec lesquelles j'apprécierais partager cet anniversaire. Sur l'invitation, je prends bien soin d'indiquer à mes invités que je ne désire pas recevoir de cadeaux, mais plutôt deux roses pour chaque personne qui sera présente. Selon mon estimation, nous serons une vingtaine de personnes donc, mon bouquet sera orné de quarante roses.

J'entreprends également des démarches afin de dénicher un endroit pour célébrer cet agréable moment. Mon choix s'arrête finalement sur une mignonne crêperie de Saint-Lambert. Ce petit restaurant a tout pour faire de cette soirée, une réussite : décor chaleureux et intime, personnel accueillant et gentil et ambiance des plus amicale. Je considère que ce lieu est tout à mon image et je m'y sens très bien.

Pour souligner mon quarantième anniversaire comme il se doit, je décide de me mettre sur mon trente-six. Je m'offre une séance de maquillage chez l'esthéticienne et, afin d'être dans le ton de la soirée, je revêts un tailleur de couleur... rose fuchsia. Mes parents passent me chercher et nous nous rendons à Saint-Lambert.

Nous entrons à la Crêperie. Le personnel a aménagé une table pour nous tout au fond du restaurant. C'est simple, c'est beau, je me sens si bien.

Mes amis sont tous là. Jean, mon premier amoureux d'adolescence. Johanne, à qui j'ai demandé de préparer un petit texte en guise d'adresse, et son mari, Gérard. Hélène, mon amie de la radio et son mari, Michel. Pierrette, une fille que j'ai connue à l'époque de la petite école et son mari, Pierre. François, mon ancien conseiller en main-d'œuvre qui est toujours demeuré mon ami.

Ma très chère Lyse,

Je te dis « très chère » et pour moi, ces mots sont dits avec plein de couleur, car tu es pour moi une personne très chère.

Tu m'as demandé de décrire en quelques mots le cheminement et la base de notre amitié.

Comme tu le sais, tout a commencé il y a bientôt... au fait, on n'a jamais été capables de déterminer l'année que tout a débuté. C'était en 81 ou 82 ? En tout cas, ça fait tout un bail ! Ce qui m'a toujours été précieux et c'est sûrement ce qui fait qu'on est devenue des amies très proches, c'est ta sincérité à toute épreuve.

En fait, notre amitié a pris naissance au début de ce qu'on peut appeler la saga de nos vies. Toi, dans un tournant décisif de ta vie, et moi aussi. Te souviens-tu de Domtar et d'un certain rendez-vous devant un restaurant avec comme seul point de repère, la couleur de nos manteaux ?

À partir de cet instant, je t'ai vu passer à travers plein d'épreuves en réussissant à garder la tête hors de l'eau. Entre autres, la perte de ta vue que l'on peut maintenant évoquer facilement, ce qui n'a pas toujours été le cas.

Et comment ne pas évoquer l'amour, que plus souvent qu'autrement, tu as vécu passionnément, comme dans tout ce que tu entreprends d'ailleurs. Mais à l'aube de tes 40 ans, je me rends compte que cette passion qui t'animait il n'y a pas tellement longtemps a fait place à… la sérénité (si je peux employer ce mot).

Parlons des chiens maintenant. Pourquoi ? Parce qu'il y a quelques années à peine, à chaque fois que je te parlais des miens, tu ne pouvais t'imaginer qu'on puisse donner autant d'affection à ces bibittes à quatre pattes. Peux-tu me dire maintenant si c'est encore pareil ? On aura beau dire, mais en quelque part, ils sont souvent ceux qui, sans rien dire, nous comprennent et nous écoutent. Qu'en dis-tu ?

Comment parler de toi sans parler de ta persévérance ? Est-ce qu'il t'est déjà arrivé de rester à rien faire ? Je suis sûre que non. Quand ce n'était pas du bénévolat, c'était des cours de traitement de texte, des cours d'espagnol ou bien de masso-thérapie. Et j'en oublie sûrement. C'était, et ça l'est encore, facile de te parler, on a juste à parler à ton répondeur ! Les oreilles ont dû te « siler » (en bien, évidemment) parce que pour moi, tu étais (et tu es toujours) l'exemple de la persévé-rance.

Combien de fois je me suis dit : « Arrête de te plaindre et pense donc à Lyse. » Et souvent, je l'ai dit à d'autres.

Je termine en te souhaitant un bon début de quarantaine et j'espère qu'à l'aube de notre retraite, on pourra encore espérer avoir plein de choses à se rappeler, comme ce soir.

Bonne fête, Lyse !

Ton amie, Johanne

Tous les gens qui forment mon noyau familial sont également présents. Ma mère, mon amie, qui semble si heureuse et si fière de moi. Mon père, mon soutien, qui est toujours là. Mon frère Jean, l'être fort de la famille qui, en cette soirée, laisse percevoir sa tendresse, et son épouse, Louise. Gilles, mon petit frère qui est toujours aussi sensible, et sa femme, Sylvie. Puis, d'autres membres de la famille qui sont chers à mes yeux. Finalement, je ne peux l'oublier, ma toujours fidèle Tékila qui me suit à la trace et qui se retrouve, bien malgré elle, la coqueluche de la soirée !

Toutes ces personnes, tout cet amour, me font ressentir un bonheur bien difficile à définir. Je me sens bien, je me sens sereine. À certains moments, j'ai l'impression que ma vie ne fait que commencer.

J'offre à mes invités un cidre rose. Ma mère a fait préparer un gâteau rose qui, vers la fin de la soirée, est servi aux invités. Un violoniste nous interprète des ballades qui agrémentent l'atmosphère de la fête. En compagnie de ma mère, je me permets même une petite visite chez la cartomancienne qui rencontre les clients du restaurant. Ce petit cadeau est une gracieuseté de la maison. Ce que la cartomancienne nous révèle, à ma mère et à moi, ne fait qu'ajouter de la joie à la soirée.

Je suis touchée par l'attitude de tous mes invités qui s'amusent et festoient avec moi. Je suis touchée parce qu'ils ont accepté de prendre part à ce beau cadeau que je voulais tant m'offrir.

Trois bouquets de roses...

Au début de la nuit, j'entre chez moi avec mon immense bouquet de roses. Des blanches, des rouges, des jaunes, des pêches, des lilas et bien sûr... des roses. Les quarante roses de mon quarantième anniversaire sont trop nombreuses pour ne former qu'un bouquet. Je dois les disposer en trois arrangements pour qu'elles continuent de s'épanouir dans mon appartement tout enveloppé de leur tendre parfum.

À l'image de ces roses, tout l'amour que j'ai reçu durant cette soirée est trop gros pour tenir dans mon seul cœur. Je me ferai donc un plaisir de le diviser pour le partager avec tous les gens de mon entourage. Qui a déjà dit que plus on reçoit d'amour, plus on est mesure d'en donner ? Peu importe. Ce soir, je le crois sur parole !

Ma voie : la massothérapie

En mai 1995, je me rends au Château Bonne Entente, à Québec, dans le but de me gâter un peu en me faisant prodiguer quelques bons soins de détente et de santé. Avant mon départ pour la Vieille Capitale, je ne me doutais pas que cette expérience allait changer le cours de ma vie…

Lors de mon séjour santé, je découvre jusqu'à quel point les massages que je reçois me procurent un bien-être extraordinaire. Je suis sensibilisée au soulagement et à l'apaisement que ces soins peuvent apporter aux clients.

Comme, depuis à peu près toujours, j'ai le goût et le besoin d'aider les gens, je me dis que la massothérapie pourrait devenir une voie professionnelle très intéressante dans ma vie.

Je me renseigne donc à savoir quelles sont les écoles qui offrent des cours de massothérapie. Mon choix s'arrête finalement sur l'Institut de formation en techniques corporelles, à Longueuil. En septembre 1996, je m'inscris à une session de cours qui s'étale sur une période de plus de huit mois à raison de deux soirs par semaine. Cette formation est destinée à des personnes voyantes. Toutefois, la matière présentée durant les cours est enregistrée sur cassettes, ce qui me permet d'avoir accès à toute l'information écrite mise à la disposition des autres étudiants. Par l'écoute de ces cassettes, je suis en mesure, lorsque je suis chez moi, de réviser les connaissances acquises et de mémoriser le contenu des cours.

Pour ce qui est d'apprendre la technique du massage suédois, je visualise d'abord les manœuvres à exécuter à partir de l'explication verbale du professeur. Pour faciliter mon apprentissage, en premier lieu, je reçois un massage qui est effectué par un étudiant ou une étudiante. De par cette approche, je peux ainsi sentir et visualiser le mouvement, ce qui me permet par la suite, de répéter la manœuvre sur une autre personne.

Au moment des examens, tandis que les autres élèves se penchent sur leurs copies écrites, je me retire dans le bureau du professeur pour répondre oralement aux questions desdits examens. Bien sûr, cette méthode ne me facilite pas toujours la tâche, mais je m'en accommode assez bien.

Je dois parfois fournir de grands efforts afin d'arriver à me souvenir de toutes les parties de l'anatomie. Évidemment, je ne peux visualiser le schéma du corps humain. Je dois donc me créer une image mentale et m'y référer au besoin. Cette formation est exigeante pour moi et je vis certaines frustrations. Parfois, je voudrais telle-ment pouvoir compter sur mes yeux pour m'aider à tout assimiler. Quoi qu'il en soit, encore une fois, je décèle en moi des forces que je ne soupçonnais pas.

Je ne peux cacher ma fierté devant ma réussite puis-que le défi était de taille. Je suis vraiment heureuse de me retrouver avec un beau diplôme en mains. Je sens que de nouveaux horizons s'ouvrent devant moi et je suis rem-plie d'optimisme.

Après avoir terminé mes cours en massothérapie, je décide de foncer pour me dénicher du travail dans ce domaine. Évidemment, pendant que je suivais ma forma-tion, il m'arrivait de masser des personnes de mon entou-rage afin d'acquérir de l'expérience. Chaque fois, j'en retirais une très grande satisfaction. C'est ce sentiment qui me fait réaliser que j'ai vraiment découvert ma voie.

Je me mets donc à l'élaboration et à l'actualisation de mon curriculum vitæ que je fais parvenir à des centres de santé. Puis, je me croise les doigts en espérant que mes ambitions pourront se concrétiser. Je me sens anxieuse et j'appréhende la discrimination des employeurs potentiels face à ma cécité. De plus, je me demande si la présence de mon chien-guide ne sera pas le prétexte d'un refus d'emploi.

Au début du mois d'août 1997, je reçois finalement un appel d'une employée d'un club de santé d'une chaîne hôtelière, situé au centre-ville de Montréal. Elle désire me rencontrer pour une entrevue. Comme il n'apparaît nulle part dans mon curriculum vitæ que je suis non-voyante, j'hésite, lors de cet entretien téléphonique, à lui avouer mon handicap visuel. De plus, je ne sais pas si je dois lui mentionner que je me déplace avec un chien-guide. En divulguant la vérité, j'ai peur que ma candidature soit rejetée. Pour un instant, je retiens mon souffle et finalement, je lui avoue mon grand secret :

— Madame Larose, c'est dans mon habitude d'opter pour l'honnêteté donc, je dois vous dire que je suis non-voyante et que j'ai aussi un chien-guide. Désirez-vous toujours me recevoir en entrevue ?

— Bien sûr, aucun problème ! qu'elle me répond.

Sa réaction me rassure et me donne un élan vers ce nouveau défi. La première étape est franchie.

Quelques jours plus tard, je me rends à cet hôtel et j'y rencontre madame Marie-France Bordeleau, celle qui deviendra ma patronne. Entre nous, le contact s'établit plus que facilement. Même si elle est ma cadette de plus de quinze ans, Marie-France est une femme très mature avec laquelle il est franchement agréable de converser.

Je saute donc à pieds joints dans cette nouvelle aventure. Mon poste à temps partiel de massothérapeute me permet de profiter d'un horaire de travail qui me convient parfaitement. De plus, l'attitude de Marie-France et sa compréhension face à ma condition visuelle facilitent mon intégration à ce milieu de travail.

Au fil des mois, Marie-France m'exprime sa confiance en me permettant de prodiguer, à la clientèle, d'autres soins corporels que les simples massages. C'est ainsi que j'apprends à pratiquer des enveloppements d'algues, du satinage, des soins à base de boue, etc.

Ce travail me comble de bonheur. Pour moi, il s'agit là d'une grande réalisation. Non seulement je réussis à évoluer dans un milieu qui me plaît, mais mon intervention auprès de la clientèle est à l'image de ce que j'ai toujours voulu apporter aux gens que je côtoie. J'aime aider ces personnes, les toucher, les appuyer dans leur quête de mieux-être dans leurs corps et dans leurs têtes. Je suis heureuse quand les clients se confient à moi. Je peux alors partager mon expérience de vie avec eux et, ainsi, nous nous nourrissons mutuellement. La massothérapie m'apporte beaucoup de valorisation en plus de me permettre de garder contact avec le public.

Bien sûr, il survient parfois des moments cocasses. Je pourrais dire qu'une bonne proportion de la clientèle ne différencie pas toujours le dos du ventre. Au début de la séance de massage, je laisse la personne seule pour lui donner le temps de s'installer à son aise. Avant de la quitter pour quelques instants, je lui indique que je vais d'abord lui masser le dos. Quand je reviens dans la salle et que je tends les mains pour débuter le massage, je réalise souvent que je touche le ventre et non pas le dos, puisque la personne est couchée sur le dos. Pour m'éviter une trop grande surprise, j'ai développé une petite astuce. Lorsque j'entre dans la salle, je m'informe à la personne si elle est confortable. Par la provenance de sa voix lorsqu'elle me répond, je peux savoir si elle est couchée sur le ventre ou sur le dos. Ah, les trucs du métier !

Il m'arrive également de constater que mes massages sont réellement relaxants, puisque certaines personnes ronflent tandis que je m'exécute. Je dois alors me montrer très délicate pour tenter de les réveiller afin qu'elles changent de position pour la suite du massage.

Il est important que je sois attentive aux besoins des gens que je masse. Si le client ou la cliente a le goût de parler, je soutiens la conversation. Par contre, si je sens qu'il ou qu'elle préfère se taire et relaxer, je me contente d'effectuer mon massage. C'est de cette façon que la clientèle peut vraiment être satisfaite de mes services.

La présence de Tékila offre également une forme de zoothérapie puisque les gens peuvent la caresser et ainsi, en retirer une grande satisfaction. Par la même occasion, ils me demandent qu'elle est sa race. Lorsque je leur dis qu'en plus d'être un labernois, Tékila est aussi un chien-guide, les gens se montrent surpris. À cet instant, ils réalisent qu'ils ont reçu des soins d'une massothérapeute non-voyante. Je trouve toujours bien drôle de constater que ce sont eux qui n'ont rien vu !

Plus les mois s'écoulent, plus je constate que la massothérapie est faite pour moi. En compagnie de Marie-

France, je peux approfondir certaines techniques de soins corporels et partager ma passion pour ce travail. Je crois que c'est d'abord cette passion qui nous unit, Marie-France et moi. Nos échanges se déroulent dans un constant climat de respect et de confiance. Notre harmonie est à ce point palpable que les clients en viennent à nous confondre, elle et moi.

Oui, encore une fois, je remercie la vie et le Ciel d'avoir mis sur ma route tous ces gens à qui j'apporte réconfort et qui, à leur tour, me donnent assurance et valorisation. Je peux d'ores et déjà affirmer que mes nombreux efforts ont porté fruits. Maintenant, je ne me pose plus de questions. Je sais que mon chemin de carrière est trouvé. Bien sûr, j'aurai encore le goût de me perfectionner et d'aller toujours plus loin dans ce domaine, mais après avoir tenté diverses options, j'ai découvert que la massothérapie correspond vraiment à mes objectifs de vie. Je me sens privilégiée et j'espère pouvoir encore compter sur cette chance pendant de nombreuses années à venir. Je pourrai alors continuer de répandre l'espoir et la joie de vivre, ce qui est peut-être devenu ma mission sur la terre.

CHAPITRE SEPT

La vie est encore belle... peut-être même plus belle!

On ne voit bien qu'avec le cœur,
l'essentiel est invisible pour les yeux

Antoine de Saint-Exupéry

U PREMIER JOUR où j'ai appris que j'étais atteinte de la rétinite pigmentaire à aujourd'hui, mes pensées et mes réflexions ont évolué au fil de mon acceptation de cette maladie qui a tout changé dans ma vie.

Dans les pages qui suivent, je vous propose un résumé de ces réflexions que j'ai le goût de partager afin, je l'espère, de les faire fructifier et de permettre à d'autres personnes de trouver l'espoir lorsque la vie se montre plus obscure.

C'est donc avec amitié que je vous offre ces quelques extraits de mon « journal intime ». N'ayant jamais eu la possibilité de le lire avec mes yeux, je l'ai revécu lorsque la lecture m'en a été faite au moment de la préparation de ce livre.

Le 19 mars 1986

Aujourd'hui, même s'il pleut dehors, dans mon cœur, il fait soleil.

J'ai le goût tout simplement de crier que la vie est belle et que je suis heureuse même en vivant des périodes difficiles à cause de cette maladie qu'est la rétinite pigmentaire.

Les gens sont beaux et la vie vaut la peine d'être pleinement vécue. Cette portion de ma vie que je traverse présentement est très pénible, mais elle est souvent allégée par la compréhension, la délicatesse, la tendresse et l'amour de mes proches.

Mes parents et mes frères sont pour moi une richesse inestimable. Michel, mon mari, est mon compagnon de tous les instants et il me remplit d'amour.

À toi qui me liras un jour, à toi qui vis des moments difficiles, peut-être même semblables aux miens, dis-toi qu'il ne faut jamais perdre courage face à n'importe quelle situation.

Moi, je suis en train de perdre la vue, mais je retrouve en moi des ressources qui me donnent le courage et la volonté de continuer à vivre d'espoir. Je veux surtout continuer de croire en la vie.

✑

Le 7 juillet 1986

La vie m'a donné l'opportunité de voir avec les yeux de mon cœur. Oui, les yeux de mon cœur me permettent de voir les gens et la vie sous un nouveau jour. Aujourd'hui, j'apprécie beaucoup plus et beaucoup mieux l'intériorité des gens et le « look » extérieur est devenu secondaire. Pour la plupart des personnes, le « look » est très important. Par cette attitude, on oublie souvent de voir le vrai visage des individus en s'accrochant davantage à leur aspect physique qu'à leur aspect psychologique ou psychique. Je pense qu'on peut vraiment découvrir la beauté intérieure lorsque la vision donnée par les yeux est déficiente. Il fait bon de constater qu'à long terme, on gagne à perdre. L'extinction de ma vue me permet de voir la vie avec une perception différente, plus précise. J'apprends à apprécier chaque journée qui m'est offerte et à en savourer chaque moment.

Oui, je réalise que dans la vie, il y a toujours un bon côté à chaque situation que l'on rencontre.

✑

Le 18 novembre 1986

Que dire de mon récent voyage en France que j'ai vécu avec Michel, mon mari, sinon que j'ai découvert que je pouvais voir avec mes autres sens. J'ai réalisé jusqu'à quel point je pouvais voir avec mes oreilles et mon odorat. Le toucher fut aussi souvent expérimenté. Ce fut un voyage extraordinaire et très enrichissant. C'est possible de voir avec d'autres yeux et c'est même très valorisant.

De cette façon, je saisis les différences des parfums et des arômes. J'apprécie le goût des fruits si délicatement sucrés par la nature. Le chant des oiseaux est une douce musique qui s'harmonise agréablement avec le bruit du vent. Les gens m'apparaissent sous leurs vrais visages. Je les vois avec les yeux du cœur et je constate qu'il existe encore de vraies bonnes personnes qui sont touchées par mon handicap visuel.

Il y a une expression qui dit : « Il n'y a pas pire aveugle que celui qui ne veut pas voir. » Or, lorsqu'on est aveugle, c'est souvent le contraire qui se produit. Nous voulons demeurer exactement la même personne qui est capable de fonctionner comme si elle n'avait pas de handicap. C'est pourquoi il est si plaisant de rencontrer des gens qui peuvent comprendre notre situation et qui savent nous démontrer que, malgré notre handicap, nous sommes une personne à part entière. Ces gens, ils sont bien précieux.

༄

Le 2 mars 1990

Que de chambardements émotifs, physiques et psychologiques j'ai vécus en peu de temps! Pourtant, je crois fermement que la vie est belle, et que je suis chanceuse et choyée d'en savourer tous les instants.

Quand les maux deviennent intolérables, que le cœur saigne, que la tête explose, je me demande pourquoi je dois vivre tout cela. Quand je sens le vide de la solitude, que l'espace m'étouffe, que l'insomnie fait place au sommeil, que mes yeux s'embrouillent, je tombe dans le néant et dans le pessimisme. Alors, le tourment devient mon compagnon et le doute s'installe en moi, nourrissant mes pleurs et mes peurs. Je ne peux chasser la crainte de l'inconnu et l'insécurité de ne plus voir le chemin que je m'étais tracé. Que de larmes j'ai versées depuis des années. Si les larmes sont en elles-mêmes une thérapie, un jour j'y verrai clair. Je suis vide d'énergie, je n'ai plus d'arme pour me battre. Où est la Lyse qui avait tant de détermination, qui croyait en ses possibilités, qui était une source d'inspiration et de courage aux yeux de tous? La solitude est devenue le miroir de la vérité, je ne peux plus rien y changer.

Pourtant, le jour se lève, la pénombre bâille et la nuit endort les tourments. Je ne sais encore aujourd'hui où la vie me mènera exactement mais, lorsque mon esprit se libère des contraintes, je continue de croire qu'au bout du tunnel, la lumière sera au rendez-vous.

Tout est nouveau pour moi. J'incarne aujourd'hui une nouvelle identification de ma personnalité. Je dois miser sur moi car toutes ces expériences m'ont fait prendre conscience de l'importance et de la qualité de l'être humain que je suis. Je désire me retrouver afin de mieux vivre avec les autres. Il me faut m'accepter telle que je suis en gardant à l'esprit la motivation de m'améliorer. Il y a pourtant des jours où je sombre dans le négativisme, où je ne comprends plus, où tout est difficile et injuste. Mais lorsque l'apaisement se produit, je reprends confiance et je continue à croire en moi et en mes possibilités. J'apprends que les ruptures ne sont pas des échecs, mais des écoles. La vie est, elle aussi, une grande école.

Le 17 août 1990

Aujourd'hui, je suis heureuse de constater que j'ai appris à rester proche de moi et à écouter ma petite lumière intérieure qui me guide très bien. Je réalise également que malgré mes difficultés, je reste disponible pour les personnes qui sont près de moi et qui ont besoin d'écoute. Je sais que je peux les épauler. Cette aide que je leur apporte m'en procure également. En demeurant près de mes émotions, je suis davantage en mesure d'être près de celles des autres. En donnant du support à ceux qui en ont besoin, je peux être utile et j'en viens même à oublier mes propres problèmes. C'est merveilleux !

⸙

Le temps fait son œuvre

Le 3 juillet 1990

Au fil des jours, j'ai appris que le temps arrange souvent les choses. Toutefois, quand on mise sur le temps pour arranger les choses qui ne s'arrangeront pas avant très, très longtemps, il faut, entre-temps, faire un choix car le temps crée un espace où il n'existe qu'attente de temps.

⸙

Le 2 décembre 1990

Il y a tellement longtemps que je n'ai pas ressenti un tel bien-être mental. Au fait, l'ai-je déjà ressenti ? Chaque jour est un cadeau du Ciel. Je comprends très bien aujourd'hui les souffrances et les pleurs qui m'ont envahie. Je comprends et j'accepte ce qui m'arrive, je comprends et j'accepte ma vie d'aujourd'hui.

Il faut comprendre qu'il y a un temps pour tout et que ce qui doit se produire ne survient pas toujours au moment que nous avons choisi. Il faut donc laisser le temps nous guider au moment où il sera le temps d'y être.

⌨

Le 8 janvier 1991

On dit: Tout nouveau, tout beau. Moi, je dis: Avec le temps, c'est différent.

Oui, c'est différent. Enfin, je suis différente puisque je m'aime et je demeure proche des sentiments qui me remplissent. C'est bien cela qui est différent, car fondamentalement, on ne change pas, on s'améliore. Je respire la sérénité et le bien-être émotif.

⌨

Le 20 octobre 1993

Après la pluie, vient le beau temps. Il a plu, tonné, éclairé et grondé. Le vent a soufflé, l'orage s'est installée. Puis, après que les larmes soient venues laver mon cœur de tant de rancœur et de frustration, l'arc-en-ciel a jailli en laissant un rayon de soleil sur mes douleurs. Il faut garder espoir même quand tout paraît si noir et que la lumière s'évanouit. Il y a toujours une lueur au fond du cœur pour ranimer en soi la raison de vivre. Vivre avec raison sans trop se poser de question pour continuer notre mission.

ce

Le 29 mars 1994

Le temps passe et la vie continue. Il faut que je me
montre patiente et confiante. Je sais qu'un jour, le vent
tournera. Pourtant...

Combien de mots d'encouragement trouvés au fond
du cœur pour croire qu'il y aura des jours meilleurs. Il
faut beaucoup de temps pour vivre l'amour, le vrai. J'apprends au fil du temps que l'amour se nourrit d'émotions
diverses: tristes, angoissantes, déchirantes, souffrantes,
heureuses, paisibles et simples. Il faut surtout de la sim-
plicité et de la tranquillité pour vivre l'intimité de deux
êtres réunis par un passé présent d'un futur.

ce

Le 4 août 1994

Le temps nous fait aussi réaliser que la vie passe vite et
qu'elle peut se terminer à tout moment.

Cette semaine, je fus confrontée à la pensée de la
mort. Une personne aveugle est décédée sous les roues du
métro, à Longueuil. La description physique de cette
femme aurait pu m'être attribuable ce qui fait que les
gens qui me connaissent ont pensé que la personne décédée était moi. C'est une étrange sensation que d'être
vivante quand les circonstances font croire le contraire...

cᔭ

Un bilan de vie

Le 25 juin 1998

Quand je m'arrête et que je prends le temps de jeter un regard sur la route parcourue depuis toutes ces années, je trouve beaucoup de réponses à tant de questions que je me suis posée depuis que j'ai commencé à perdre la vue.

Aujourd'hui encore, il m'arrive de me poser des questions, mais c'est avec un regard beaucoup plus éclairé que j'arrive à trouver des réponses qui me sont données par l'expérience que j'ai acquise dans la souffrance, le bonheur et l'amour de moi-même.

La vie m'a amenée sur des routes sillonnées d'obstacles, d'embûches et de joie, parfois. Des routes où il fallait que je m'arrête pour prendre le temps de me regarder et de me questionner pour ainsi arriver à m'accepter, à me comprendre, à m'aimer et à partager le vécu de toutes ces années.

Et il me reste encore plusieurs années à parcourir d'autres routes qui m'amèneront encore plus loin. Plus loin dans le dépassement de moi-même, plus loin dans l'amour de la vie, plus loin dans le bien-être. Beaucoup plus loin que je ne peux encore l'imaginer. Je fais donc confiance à toutes ces années.

Ce en quoi j'ai foi, ce en quoi je crois
La bague au doigt, un enfant dans les bras
La bague au doigt, communion de l'amour
Un enfant dans les bras, conception de l'amour
L'amour de la vie, l'amour dans la vie

N'avoir jamais de regret pour ce qu'on a fait, mais garder ses souvenirs pour continuer à se bâtir, s'épanouir et se nourrir de tout ce que l'on est, de tout ce que l'on fait.

Aujourd'hui, je réalise que d'avoir des yeux moins forts a renforcé mon être à me comprendre encore et encore, à me connaître et à m'aimer encore plus fort. J'ai aussi appris à apprécier et à savourer d'heure en heure, chaque jour, chaque instant, chaque personne, chaque moment comme un cadeau des plus précieux, ce présent que l'on appelle la vie.

LYSE VEILLEUX

CHAPITRE HUIT

Comme un bouquet de roses…

Je ferme les yeux simplement
Et le sang coule dans mes veines […]
Je ferme les yeux simplement pour mieux voir
Mon pays, mon royaume…

Philippe Soupault

J'ai connu Lyse alors que j'étais encore un enfant, ma famille habitait la maison derrière la sienne. C'était l'époque où je jouais aux indiens et aux cow-boys avec son jeune frère, Gilles et toute une joyeuse bande d'amis. J'ai peu de souvenirs très précis d'elle à cette époque ; plutôt quelques impressions fortes restées en ma mémoire.

J'avais été fait prisonnier, ce qui avait été plutôt facile pour mes adversaires vu que j'étais le seul à avoir accepté d'être un indien, les cow-boys étant très populaires dans la bande… Je me trouvais donc attaché au grand arbre du fond de la cour attendant patiemment que les cow-boys reviennent me torturer.

Cherchant à passer le temps, le dos égratigné par l'écorce rugueuse, je faisais le tour de mon petit univers : ma maison, ma cour, les cordes à linge qui s'entrecroisaient, les balcons-arrières des maisons, le soleil qui faisait chatoyer les vitres des appartements et puis, elle. C'est presque toujours dans un moment comme celui-là que je la voyais. Elle était assise dans la petite cour de leur appartement, souvent seule ou en compagnie d'une autre personne mais, toujours on l'aurait crue seule, tant elle était absorbée, réservée, sans trop de paroles, sans trop de gestes, sans trop de débordements de présence. De loin, elle m'a toujours semblé silencieuse et observante. Oui, je crois que le souvenir le plus précis que j'ai d'elle, c'est celui d'une jeune femme qui regarde ce qui l'entoure et qui se tait pour en savourer toutes les beautés.

Moi, le dos mutilé par mon arbre, je restais là à contempler une jeune femme qui regardait au-dessus de moi, au-dessus de la cour, au-dessus des maisons et des arbres. Je la regardai jusqu'à ce que les cow-boys vinrent rompre le charme en criant qu'ils allaient me lyncher.

Plusieurs années plus tard, un coup de fil, une brève conversation téléphonique sur ce que la vie a fait de nous ; puis, un rendez-vous pour une interview à la radio. Dans un petit studio, devant un microphone, Lyse m'attendait patiemment, avec le sourire. Nous avons conversé longuement sur mon métier, ma vie, ma conception des choses, ma vision de l'avenir. Mon, mes, ma, moi… Je m'efforçais de regarder le plus clairement possible au fond de moi pour être vraiment là, dans chacune de mes réponses.

Lyse m'avait évidemment appris qu'elle était devenue aveugle, mais depuis le début de notre entretien, elle gardait les yeux tournés vers moi. Cela me gênait un peu. Puis, soudain, j'ai réalisé que son regard portait un peu au-dessus de moi ; au-dessus de ma tête.

Je crois qu'à ce moment, elle me voyait plus que ses yeux ou que les miens ne sauraient jamais le faire.

Lorsque j'ai réalisé l'état de présence dans lequel elle se trouvait, je me suis calmé. J'ai arrêté de réfléchir. Je me suis contenté de répondre à ses questions.

Je me suis contenté de la regarder me regarder.

Heureusement pour moi, il n'y eut pas, dans tout l'immeuble, un seul cow-boy pour venir me lyncher...

Merci Lyse,

YVES SOUTIÈRE
comédien et ami de jeunesse

J'aime voir !
Voir un corps en mouvement.
Me voir en mouvement, voir les autres se mouvoir.
Avec le temps, mon œil s'est raffiné en devenant aussi
    ma caméra interne.
En bonne partie, grâce à Lyse Veilleux.
Voir, sentir, partager l'expérience du corps d'une autre en
    mouvement.

Voilà l'aventure que je partage avec Lyse depuis cinq ans. Sa patience, sa persévérance et sa précision sont deve‑ nues aussi mes partenaires de jeu.

C'est un beau privilège !

ANDRÉE DUMOUCHEL,
chorégraphe et amie

Chère Lyse,

Je te remercie de l'occasion que tu me donnes de prendre la parole dans ton « histoire de vie » ! Voici quel‑ ques lignes qui esquissent ce qui de toi me touche. Puisse ta bonne étoile t'accompagner toujours...

En toute amitié !
Interpeller ses rêves,
dans un mouvement de danse,
dans un élan du cœur,
dans une parole gravée sur mémoire,
dans un geste de la main qui soulage des labeurs,
et surtout...
un regard qui, au delà de la lumière, se perd dans des possibles.

FRANÇOIS CAMPEAU,
conseiller en main-d'œuvre et ami

À toi, ma chère amie Lyse,

À toi qui m'as d'abord ouvert les yeux sur la réalité des gens qui vivent des différences.

À toi avec qui j'ai pu partager les émotions ressenties à la suite d'une perte qui change toute une vie.

À toi avec qui j'ai pu échanger sur la vie. Combien d'heures avons-nous passées l'oreille collée sur l'écouteur du téléphone ou encore attablées au restaurant à défaire et à refaire le monde ? Je n'ose me l'imaginer. Les oreilles nous en rougiraient sûrement simplement à y penser. Et je suis certaine que nous n'avons pas encore terminé de défaire et de refaire le monde...

À toi qui as suivi mes premiers élans de cœur vers l'amour et qui était là au plus important et au plus beau jour de ma vie.

À toi qui m'as offert un grand privilège et qui m'as comblée de joie en me demandant d'écrire l'histoire de ta vie. Par ce livre, j'ai vécu l'une des plus belles expériences de ma carrière journalistique. Par ce livre, j'ai appris à te connaître et à t'apprécier encore plus. Par ce livre, j'ai redécouvert comment il peut être fascinant, à tous les jours, de modeler une création en ayant comme principal matériau cette superbe langue qu'est le français.

À toi, ma chère amie Lyse

Je veux simplement dire « merci ». Merci pour ta géné-rosité, merci pour ta joie de vivre, merci pour tes éclats de rire, merci pour ta confiance, merci pour ton amitié sincère et pur. Simplement merci d'être toi.

Je t'aime beaucoup.

HÉLÈNE BELZILE,
journaliste et amie

REMERCIEMENTS

Mercis sincères à Visuaide, pour leur appui financier; l'Institut Nazareth Louis-Braille pour leur soutien en réadaptation et pour leur collaboration à l'adaptation de ce livre en braille et sur cassette; l'Institut national canadien pour les aveugles pour leur support; la Magnétothèque pour l'enregistrement sur cassette de mon autobiographie; la Fondation Mira pour mon chien-guide, Tékila; la Fondation RP pour la recherche sur les yeux, la Fédération moto-tourisme du Québec et *Ride for Sight* pour m'avoir ouvert leur cœur en croyant en la recherche.

Émilie, ma mère, pour être là; Donat, mon père, pour sa présence tranquille; ma famille toute entière, pour être près de moi.

Denis Roy, mon ex-patron, un homme extraordinaire au cœur d'or; Ginette Pilon, une amie sincère et fiable; Michel, mon premier mari, pour tout; Stanley Lipson, mon ami pour qui j'ai une grande admiration; Johanne Lussier, pour me voir telle que je suis et pour son amitié; Andrée Dumouchel, pour m'apporter une nouvelle vision de la danse; Yves Soutière, pour sa fidèle et longue amitié ainsi que pour la justesse de sa perception à mon égard ; François Campeau, pour son amitié et pour ses judicieux conseils ; Marie-France Bordeleau, pour me permettre d'exercer ma passion en massothérapie et pour sa complicité ; Nicole Morin et Pierre Drolet, pour leur aide, pour leur amitié et pour leur foi en ce rêve qui est aussi le mien.

Hélène Belzile, pour m'avoir prêté ses yeux afin que mon livre autobiographique puisse voir le jour et pour son amitié ; les Éditions Francine Breton pour avoir accueilli avec enthousiasme mon projet d'écriture.

Merci à tous et chacun de m'aimer pour ce que je suis et pour savoir comprendre et accepter mon défi, car pour moi, la cécité n'est pas un handicap, c'est un défi... de tous les jours.

LYSE VEILLEUX

TABLE

Achevé d'imprimer chez
Marc Veilleux Imprimeur inc.,
à Boucherville,
en juin deux mille deux